中村 哲
NAKAMURA Satoru

著

メキシコ
日記

桜井書店

私のメキシコ体験——まえがきにかえて

　1990年3月から4月にかけて約1か月メキシコに行きました。メキシコにエル・コレヒヨ・デ・メヒコ（日本ではメキシコ大学院大学と言っています）で日本経済の話をしてくれるよう依頼されたのです。そこの教授の田中道子氏に頼まれました。講義は1週間で、1か月分の給与と滞在費・旅費をくれました。なお、この大学はラテンアメリカ最高の大学だそうで、メキシコ以外のラテンアメリカ諸国からも留学生が来ていました。その機会を利用してメキシコの企業、農村・農場、インディオ（これは差別語でインデヘナがよいのですが、日本ではなじみがないので、本稿ではインディオと表記します）の村などをできるだけまわりました。遺跡などの観光もしました。主に田中教授に行きたいところを言うと、交渉してくれました。たいへん顔の広い人で、親切でした。そのほかにもいろいろな体験をして非常に有益でした。私は東アジアの中国・韓国・台湾にはよく行くし、西ヨーロッパはイギリス（1年）とドイツ（10か月）に滞在したことがあり、西ヨーロッパのほとんどの国に旅行し（ほとんど一人で）、東ヨーロッパ（当時）のハンガリー、チェコ・スロバキア、ポーランドにも行きました。アメリカは学会の用事で半月ほど行ったことがあるだけです。東北アジアと西ヨーロッパについてはかなりの体験をしていますが、ラテンアメリカはこれが初めてで最後です。そのせいもあるでしょうが、東北アジアや西ヨーロッパとは異質な社会だという強い印象をもちました。

1990年というと、メキシコはアメリカのハーバード大学卒業のエリート、サリナス大統領の下で自由化政策を推進している時期でした。メキシコ革命は1915年に行われ、ロシア革命以前ですが、相当徹底した革命で社会主義的要素もありました。その革命を担ったというPRI（制度的革命党）が70年にわたり政権を維持し続け、1党独裁に近く、農民・労働者を組織して基盤にし、資本家を基盤とする政党が野党でした。大統領は必ずPRIから出ており、サリナスもそうでした。メキシコ革命の栄光を背に負っているのですが、それは建前で内実は腐敗していました。ポピュリズム的政策をとり、対外的には保護主義で、輸入代替工業化政策をとっていましたが、80年代にラテンアメリカ経済が行き詰まり、同じNICs・NIEsと言われた東アジア諸国が輸出主導で急激に発展したのに刺激され、アメリカの圧力もあり、ポピュリズム・保護主義・輸入代替政策から自由主義政策に転換し始めたのです。

　どのようなことが東アジアと異質と感じたのか、例をあげてみます。ラテンアメリカは格差の大きい社会であることは、ジニ係数が大きいことでも知られていますが、格差が単に大きいというだけでなく、階層ごとに社会が分断されているという感じが強いのです。トップは白人（10％）、最下層はインディオ（30％）、その中間が全体の60％を占めるメスティーソ（混血）ですが、その中は千差万別で、白人と変わらない人からインディオと変わらない人までいる。服装も違い、背広を着てネクタイをしめていれば、ある程度の階層であり、自家用車を持っていて、バスや地下鉄などの公共交通機関には乗らない。私は最初、公共交通機関は

危険だから乗るなと忠告されましたが、それでは面白くないので
乗りたいと言うと、ネクタイを外して真ん中あたりに乗るように、
入口近くは混むので人の体が接触しやすい。そうすると物を取ら
れやすく危ない、と教えられました。単に持ち物を取られるだけ
でなく、提げたカバンをカッターで切るので、脚まで切られること
があるそうです。公共交通機関は社会の中以下の所得階層の乗り
物で、地下鉄の駅名は動物の名前（ゾウとかキリンとか）で、そ
の絵が描いてある。字が読めない人が多いためです。タクシー
も４種類あり、一番安いフォルクスワーゲンのカブトムシは危ない
から乗らないように、夜乗るとどこに連れて行かれるかわからな
い、一番高いホテルタクシーが安全だと言われました。確かにメ
キシコ市の治安は悪く、銀行の入口には軽機関銃を持ったガー
ドマン（女性もいた）が数人立っている。昼に強盗は出ないだろう
と言うと、昼から警備が厳しいことを示さないと狙われるのだと説
明されました。エル・コレヒヨの教授を夕食に招待したことがあり
ますが、その人は私の泊まっているホテルまで自分の車で来て、
歩いて近くの繁華街のレストランに行ったのですが、帰りは暗く
なったのでホテルまでタクシーに乗りました。ほんの３〜４百メート
ルの距離ですが、暗くなると危ないのです。

　近代的農場の見学に行ったことがあります。その農場主は国
会議員をしたこともある有力者でしたが、町にある屋敷は高い塀
に囲まれ、狭い入口のマイクでアポイントを取っている中村ですと
告げると、人が来てドアを開けてくれるのです。中に入ると広々と
した庭があり、立派な住まいです。農場主の案内で彼の農場
（アシェンダ）を見学しました。240ヘクタールですが、輸出用のア

スパラガスと唐辛子を作っており、地下水を汲み上げて灌漑している。農業機械もかなり使っているが、手作業も多く30〜80人（季節により変動）の労働者を雇用している。農繁期だけ泊まるという農場の家に行きそのバーでテキーラを飲みましたが、小さな城のような家でした。帰りに近くのインディオの集落を通りました。そこに住む人たちが農場の労働者になっているのですが、家はあばら家で汚く、貧しさが想像されるところでした。近代的農場、城のような家とまったく別世界なのですが、それが農場に不可欠な労働力を提供しているのでした。工場もいくつも見学しましたが、メキシコ人労働者はよく働くという印象です。肉体労働だけでなくかなり器用でもあると見えました。経営者や案内者に聞いてもメキシコの労働者はよく働くという説明でした。また、言葉がスペイン語、宗教がカトリックでだいたい統一されていることが利点だということです。しかし、読み書きのできない人はかなり多く、政府は近年初等教育に力を入れ始めたということです。一般に発展途上国は大学教育・エリート教育には熱心だが、初等教育・大衆教育は遅れがちですが、メキシコもそうでした。エル・コレヒヨはメキシコ最高のエリート校ですが、学生数を絞り、学生が卒業するまで次の学生を採用しない。60点以下の成績が1科目でもあれば、すぐに退学。だから卒業までに学生数がどんどん減ってゆくという具合で、エリートとしての厳しい教育をしていました。

　インディオの村にも行きました。これがなかなか難しい。田中教授にインディオ解放運動家ヘロナ・バウテスタを紹介してもらい、ヘロナに同行してもらって、彼と一緒に解放運動をしている人で、

大学を出て故郷で小学校教師をしているアントニオ・ロペスの案内でマサワ族の村を2つ訪問しました。メキシコのインディオは56の部族に分かれ、言語も違い非常に閉鎖的で、同族が一緒でないとよそ者とは話さないのです。ここの農業は天水農業で、ちょうど雨期に入る前、乾季の終わりでトウモロコシの播種の時期でしたが、典型的な乾地農法でした。雨期に入る半月くらい前に種を蒔き、すぐに犂で鎮圧して地中の水分で発芽したときに雨期に入るというやり方です。雨期に入るのが遅れれば、芽は枯れてしまい収穫はゼロというリスクの多い農業です。近代的農場との差の大きいのに驚きました。この農業はトウモロコシしか作れないので単作であり、その点でも不安定です。そこで他の農場に働きに行くとか、メキシコ市などの都市に出稼ぎに行く。もっと貧しい者は乞食にでる。ちょうどぼろをまとって袋を担ぎ裸足で歩いて行く一団に出会いましたが、それは村を出て町に乞食に行く者たちだったのです。

　このへんでやめますが、メキシコ体験によって、私は、ラテンアメリカは東アジアとは異質な社会だという強い印象をもちました。現在の中国は日本と比べ格差の非常に大きい社会ですが、やはりひとつの社会を構成していると思います。しかし、ラテンアメリカはそうではないのです。それから18年たっており、メキシコも相当変わったとは思いますが、この本質的な点は変わらないのではないでしょうか。なお、メキシコの調査にはエル・コレヒヨの学生に同行してもらい、通訳をしてもらいました。私は日本語で話せるので非常に楽です。学生には日本語の勉強になると理由をつけました。これは私が外国で調査をするときのひとつの手で

す。インディオの村では、私の日本語の話を学生がロペスにスペイン語で話し、ロペスがそれをマサワ語にして、村の人に話すというやり方でした。ロペスによるとマサワ族の人口は60万人（政府発表は20万人）で、スペイン語が話せない人が50％、現在、学齢人口の中で中卒は50％、高卒0.6％、中学まで義務教育だが途中退学者が多い。小学校がこの村にできたのは18年前ということでした。

　このようなメキシコ体験から、東アジアを照射してみると、2つの重要な特徴が浮かび上がるように思われました。もちろんこれは、それ以前の私の研究や東北アジア体験と結びついてできてきた考えです。

　ひとつは経済面で、中小企業の有無、ないし強弱、その在り方の差異です。メキシコは中小企業が非常に弱い、数も少ないし技術も低く不安定です。経済における大企業（国営・外資を含む）の力が圧倒的です。また、その組織も未発達で、特に地方で弱い。メキシコの日本商工会議所の事務局長はメキシコには中小企業はないと言っていました。それと比べると、日本はもちろん中国も、また中小企業が弱いといわれる韓国でも中小企業が存在し、一国の経済に一定の役割を担っています。これはメキシコから帰った翌年、「日本の資本主義化と中小企業——日本資本主義形成の一特質」（発表は1992年。後藤靖編『近代日本社会と思想』吉川弘文館、1992年、所収）に書きました。

　もうひとつは、農業の在り方、特に小農の発達度です。ラテンアメリカは一般に大土地所有制・大農場制（ラティフンディオ）が

発達し、小農（ミニフンディオ）の経営能力が低い。これはスペインの植民地であったところに共通していて、ラテンアメリカだけでなく、フィリピンもそうです。メキシコ革命は偉大な革命で、かなり徹底した土地改革を行っています。小農の経営能力が低く、土地を分配するとすぐに売ってしまう恐れが大きいので、農民組合に土地所有権を持たせ、農民には土地保有権を与えました。しかし、地主は農民の土地保有権を借りるという形式をとって、実質的には革命以前のラティフンディオが復活してしまいました。

　この2つがラテンアメリカと東北アジアを分かつ大きな違いであり、ラテンアメリカでは所得格差が極めて大きく、しかも階層ごとに社会が分断している原因ではないかという考えをもったのです。

2008年記

メキシコ日記　目次

メキシコ日記

伊丹発UA 810便18時30分。サンフランシスコ着
10時45分（日付変更線を越えるため、1日早くな
る）。サンフランシスコ発UA837便14時00分。メ
キシコシティ着20時19分。

　UAでも半数くらいは日本人の乗客。私の両隣はいずれも日本
人で、右隣はアメリカの大学に留学中――ただし、半年前から
で、今は語学研修中、それがすんで大学受験――の学生で、
サンフランシスコ空港の乗り換えの仕方などについて聞く。

　乗り換えは実際には簡単で、時間が相当に余った。バーボン
（Wild Turkey）を1本18ドルで買うが、店員には相当日本人が
居り、日本語で用が足りる。しかし、日本人と思ったためか東京行
の便（JAL137便14時00分より少し早く出た）のゲートにウイスキー
を持って行ってしまったため、メキシコシティ行きのゲートにはな
かった。しかし、すぐに係が店から持って来てくれて間に合う。

　メキシコシティ行きのFlightは、小さく、日本人も少ない（数
人）。バハカリフォルニアの海と砂漠の上を飛ぶ。

メキシコシティの
飛行場

メキシコシティの夜景がきれい。相当広い町である。

飛行機が15分くらい早く着いたので、田中道子さんが迎えに来ていない。両替をして15分くらい待っていると田中さんが来てくれた。車を娘が使ってしまったので、地下鉄で来たから遅れたとのこと。

タクシーブースからタクシーまで、頼みもしないのに荷物を運んだ男にチップを請求され1,000＄（ペソ）やる。はじめはタクシーの運転手かタクシー会社の係員かと思ったが。ホテルまでタクシー代1.5万＄。

サンフランシスコ空港では英、独、韓国語のアナウンスがあった。つまりそのFlightの会社の国の言葉のアナウンスがある。

サンフランシスコからメキシコシティへのFlightでは、まず英語、次にスペイン語のアナウンスである。

ホテル

ホテルは、Bristol Hotel

PLAZA NECAXA 17, ESQ. PANUCO YSENA

Tel 208-1717

ホテルの部屋に荷物を置き、田中さんと彼女の長女と食事。長女は21歳でなかなかチャーミング。大学4年で卒業論文にロック・ミュージックの社会学的考察を取り上げている。ロック・コンサートにはよく行くが、自分では演奏はしない。日本語はあまりできず、日本語と英語のチャンポンの会話となる。

このホテルは場所が非常に便利な所にある。造りは部屋の隣

や外の物音がよく聞えるのがよくない。食堂は、味は普通だが、親切とのこと。メキシコシティ滞在中はこのホテルに居た。夜は寝るのが午前2時頃になり、朝はまわりがうるさくて7時頃には目が覚めてしまい、寝不足になった。それとよく歩きまわったが、体はよくもった。案外にまだ体力があることを確認した。

1990年 3月28日【水】

朝11時ホテルを出発。田中さんの運転で彼女の赤い車で、エル・コレヒヨ（EL COLLEGIO）に客員教授で3カ月、国際関係を教えに来ている岩手大教授岩島久夫氏と3人で。

メキシコシティの盆地から出て峠を越える頃、少し雨が降る。前日、空港に着いた時も雨が降ったすぐ後だったようで、空港の滑走路や道が濡れていた。乾季なのに雨がよく降る。その後も雨がよく降った。

峠を越えたあたりは、ポポカテペトル（Popocatepetl）5,465mとイスアシアトル（Iztaccihuatl）5,230mがよく見えるらしいが、雲のために全く見えない。残念。

トラネパンタラ（Tlalnepantla）

峠を下って最初の村トラネパンタラ、ここは炭焼の村だそうだが、貧しい。もとはモクテスマ（アステカ最後の皇帝、スペイン軍に捕えられて殺された）の離宮があったところだということだ。

トラヤカパン（Tlayacapan）

　そこから下って、トラヤカパンに。ここにはメキシコシティの文化人が別荘をつくっている。田中さんも別荘をつくっているところ。日干しレンガでつくっている。値段は聞いたが忘れた。この日は、時差ボケがひどかったとみえて、あまりメモをとっていなかったので、後からは不明な点が多い。

　メキシコシティと周辺でも地価はかなり急激に上昇しつつあるようである。田中さんの家は、他人の別荘を買い取り、それを改造中で、すでに田中さんの住む別棟はできていた。週末に来て仕事をするという。メキシコシティでは雑用が多く、仕事ができない。改造中のもとの家の方は、田中さんのお父さんが住むためのものという。これは、次の日に、パーティーで聞いた話。

　ここの学校の小使さんが朝スピーカーで音楽を鳴らすので、うるさくて仕方がない。文化人の一人が、メキシコシティの新聞（社主がここに別荘をもっている）に連名で投書した。田中さんの名も無断で使われたと彼女は怒っていた。

　この村のはずれの、他の地方からこの村に農業労働の出稼ぎに来て、そのまま住みついた人々の家を見に行った。その場所に5カ年住むと居住権が認められる。ただし、村民になれるのではない（エヒードの土地に対する権利はない）、その土地から追い出されないということである。

　家は小さいが、レンガでつくられていて、政府の補助金も出るとのことである。

　ここに小さな教会がある。昔、他の町のマリア像を修理して送り返すとき、急に重くなって運べなくなり、ここに留まりたいのだろ

うということで、その像をまつって教会をつくったという。 トラヤカパンの町に出て、焼物屋に入り、次いで町の広場とその隣の教会に行く。16世紀に建てられたもの。この町はスペイン植民地時代の典型的なつくり方をしており、町の中央に広場があり、それに面して町の庁舎がある。広場を通る道が突き当たる町のはずれが教会になっている。広場は日曜に市が立つ。この日も数人の物売りが店を出していた。

ココヨク（Cocoyoc）

　ココヨクのアシェンダの館を使ったレストラン（ホテルもあり）で食事をした。ここは有名なレストランとのこと。プールもついていて、泳いでいる人も少数いた。食事は田中、岩島両氏のおごり。

　駐車場では頼みもしないのに（断っておいたのに）、勝手に一人の男が車のボディを掃除していた。チップをもらうためである。

　このようなレストラン、ホテルなどの入口は門が閉っていて、門番がおり、車が来ると開ける仕組みになっている。外から、うろんな人間を入れないためのようである。

　アシェンダの館はどこも、水をどこからか引いているか、井戸をもっている。その水を利用して庭園をつくる。これは、スペイン、とくにアンダルシア地方とよく似ている（メキシコに移住したスペイン人はアンダルシア地方の者が多い）。両地方とも雨量が少ない点で共通する。

アネネクイルコ（Anenecuilco）

　1915年のメキシコ革命の英雄エミリアーノ・サパタの生れた村

アネネクイルコに行く。生家が博物館になっている。家はアドービ
レンガと石でつくられていて、3間くらいある。サパタは小土地所
有者・中農であった。

　公園にはサパタを記念して、1953年に全国の農民組合が石を
集めてつくった碑が立っている。

　サパタは現在でもメキシコ第一の人気のある人物、とくに下層、
インデヘナに人気のある人物である。いたるところにサパタの記
念物がある。しかし支配層は、形式上はたてまつっているが、
実際にはそうでもないようである。

エミリアーノ・サパタの
生家にある
サパタの碑

クエルナバカ（Cuernavaca）

クエルナバカに着いた時はもう日が暮れて来た。古い町で道が狭くて、坂も多い。

車を駐車場に入れ、カテドラルへ行く。1529年建造。建設に70年間かかったという。1829年にカテドラルとなる。最近、内壁の上塗りの石灰層の下から日本における26聖人殉教壁画が見つかった。1597年2月15日、長崎で処刑された、EMPERADOR TAYCOSAMA MANDO MARTIRIZAR POR……の文字が見える。ストロボを使って写真を撮ったが、うまく撮れていないかもしれない。

ソカロ広場に出て、広場前のコーヒーのうまい店でコーヒーを飲む。

帰りは高速道路（メキシコシティ－アカプルコ）を相当のスピードで、メキシコシティに帰る。ホテルに着いたのは夜11時。

**1990年
3月29日
【木】**

午前中2時間くらい、ソナ・ロッサ（メキシコシティの繁華街）を歩いてみた。地下鉄のインスルヘンテス（Insurgentes）の駅にも行ってみたが、乗るには少し時間不足でやめる。

午後1時30分〜3時、川田氏夫妻（川田氏はメキシコ三菱副社長）と会う。ホテルの近くの酔月という日本レストランで昼食、てんぷらをご馳走になる。

メキシコシティには日本レストランが80軒もあるという。それはアメリカで日本食がはやっているので、メキシコの上流階級にも

その影響でダイエットという目的とファッション的な面で流行しているのである。川田夫妻は、中南米はコロンビアに5年、メキシコに3年滞在、年は50歳くらい。

　川田氏は、日本の政府や企業のあり方について大きな不満があり、それを熱心に話すので、こちらが口をはさむ余地もないほどである。いくら一生懸命働いても報われることが少ない。会社ばかりが大きくなり、利益をあげている。このままでは、今後、若者はまともに働かなくなるだろう。そういうことが財界のトップや政府は全くわかっていないのだ、という趣旨である。初対面なのにいささか面食らってしまった。

　しかし、後日、たいへん親切な人で、また働き人間、忠実な企業戦士であることがわかってきた。

　奥さんの話 ▶ 流しのタクシー(黄色)には乗らない方がよい。悪質なのはどこに連れて行かれるかわからない。値段の交渉で怒ると降ろしてくれないことがある等。ドアに足をかけて閉められないようにして、交渉すること。地下鉄は貧乏人の乗物で、金持は乗らない。メキシコ人の上流階級は一生に一度も地下鉄には乗らないだろう。三菱商事の社員の奥さんは川田夫人を除いて乗ったことはないという。乗る場合には、午前10時〜午後3時の空いている時だけにする。隣の人と体がつくのは危ない。中央の方に座ること。ネクタイ、背広は避けること。カバンは、ひざにのせて両手で持つ。暴力スリにねられるのだ。カバンを手で提げて立っていると、カッターでカバンのヒモを切られ、腿まで切られることがあるとのこと。京大国史の後輩で、私より前にメキシコに来ていた鎌田君の話では、ショルダーバックは不可、ちょう

どスリがナイフで切れる位置になるから。手提げであれば、しゃがまないと切れないのでやられにくい。

エル・コレヒヨ（EL COLLEGIO）

　午後3時にホテルに戻り、ホテル前に待っているタクシーTurismo（大型車で一番安全なタクシーとのこと）でエル・コレヒヨへ。川田さんに交渉してもらい35,000＄（3万に値切ったがだめ）。3時30分着。

　岩島氏の研究室で話をするが、彼はよくしゃべる人で、自己宣伝と自分の経歴を話すのが大好きのようである。一方的に話され、とても疲れているのに一層疲れてしまった。この調子では、過労で倒れるのではないかと心配になってきた。

　日本科の教授太田さん（日系2世の女性）から河原さんに通訳を頼んだことを聞く。彼女は、田中さんとはあまり仲がよくないのか？　講演にも、後日の昼食会にも出てこなかった。

エル・コレヒヨでの講演

　午後5時〜6時45分、韓国経済について話す。田中さんが通訳。その後、質疑があり午後7時30分ごろ終わる。参会者30人くらい。

　農業の専門家フェデロ・ロメロから農業について質問があった。

　フェデロ・ホセ・ロメロ（韓国経済、UNAM＝国際関係研究所）、この人は、大学院生の時、韓国に3年留学し、韓国語が読み話せる。日本にも2年留学し、奥さんは日本人。ひげをのばし、老子をきどっているが、年はまだ50歳くらいらしい。

彼の意見▶メキシコでは、現在、韓国経済に対する誤った見方が幅を利かせている。自由主義政策がとられ、輸出によって経済が発展したとされているが、自分は国家の役割が大きいと思う。政府が米、日に従属しながらも、技術、資金をある程度主体的に選択的に導入した。こうした点で中村の考えに賛成であり、たいへんよい話だった。

質問▶国内の経済格差、地域格差が大きいと思うがどうか、とくに東部が発達している。

私の答▶ブルーカラーとホワイトカラーの格差、大卒と高卒の格差、ソウルと地方との格差、慶尚道と全羅道の格差と対立。国家の役割が大きいことは同意見。

シルバ部長の質問▶大学教授の収入、社会的地位は？　シルバ部長は古代アッシリアの研究者。

私の答▶社会的権威は高く、収入も多いと言うと、一種の感嘆の声、うらやましがる声が大勢から出た。あとで聞くと、メキシコの大学教授の収入は最近10年のインフレで非常に下がり、他の職にかわる人が多いとのことである。

大学関係者、インテリは現在の政府に批判的な人が圧倒的に多い。批判は、従来の下層民の最低生活を保証、保護する社会主義的政策をやめ、どんどん値上げに踏み切っていることや、国営企業の民営化、自由化政策を推進していることに向けられているのだ。

こうした点から、私の話は彼らに好評だったようである。

岩島氏の質問▶北朝鮮はどうして経済が遅れてしまったのか。戦前にはむしろ北の方が発展していたのに。

私の答▶社会主義中央指令経済が強すぎる。とくに1970年代から は、南に対するアメリカの援助もあり、日、米に従属しながらも経済発展した。

田中宅でのパーティー

　私のために開いてくれた。フェデロ・ロメロの車（奥さんが運転）で後部座席に4人、前に2人計6人。メキシコは一応規制で、この車（小型乗用車）は5人までとなっているが、そううるさいことはないそうだ。

　UNAMのロメロの研究所にも行ったが、もう灯は消えていた。

　田中さんの家はメキシコシティを見下す山の上にあり、景色（夜景）はすこぶるよいが、村のような所で、メキシコ風の建て方である。

　パーティーは、人数は15〜16人。田中さんとその子供（長男と娘2人）、ロメロ夫妻、岩島氏、エル・コレヒヨの院生アルフレッド・ロマンとその恋人、セルジオ・ドウェニアス、セルヒヨ・エルナンデス（経済センター）、『エスニアス』（エスニック問題、インデヘナの人権擁護の雑誌）を編集・発行しているヘナロ・バウテスタ、ロドルフォ・ゴンザレス（エル・コレヒヨ国際センターの学生）ほか。

　メキシコ料理だが、あまり食べるヒマがなかった。田中さんと今後の打合せのために忙しかった。また、ヘナロや学生たちなど、私の調査を助けてくれる人を紹介してくれた。ここで日程が決まった。

田中道子さん宅
前列右から
岩島氏、
中村、田中さん
2列目左
ヘナロ・バウテスタ
他は、エル・コレヒヨの
学生、院生、
田中さんの子供3人

日程の打合せ

　3月30日(金)：大使館経済担当・倉本氏、商工会議所・松本氏、JETRO・森氏と会う。

　31日(土)、4月1日(日)：観光及び休み

　4月2日(月)、3日(火)：エル・コレヒヨ、UNAMの研究者と会う。ホセ・ルイス・カルバ(農業経済)、フェデロ・ロメロ等。

　4月4日(水)～6日(金)：日産メヒカーナ・アグアスカリエンテス工場、部品工場グアナファト、バヒオ農業地帯。同行はアルフレッド・ロマン。その他トルーカのコレヒヨ・メヒケンセに寄ったらどうか。メヒケンセにはぜひ寄ってもらいたいとのこと。

　4月7日(土)、8日(日)：イダルゴ州のインデヘナの村落

　4月9日(月)、10日(火)：パナソニック工場見学、日産本社

　4月12日(木)～16日(月)：ユカタン半島、マヤ遺跡観光。同行は岩島氏

　4月3日(火)はエル・コレヒヨの経済センター教授キャスティン・

アペンディーニに会っておくこと。トウモロコシの価格形成の研究者。バヒオ農業地帯の適当な農場を紹介してもらう。

5日（木）の夜はグアナファトのゴルキ・ゴンザレス・キニヨーネス（Rodolfo González Ono の父、陶芸家）の家に泊る。

7日（土）、8日（日）はヘナロ・バウテスタの案内、セルヒヨ・エルナンデスの車でイダルゴ州のインデヘナの村落に行く。インデヘナの村に行くには土曜、日曜がよいとのこと（どうしてかは聞きそこなった）。

謝礼 ▶学生には1日10ドルくらいを秋に日本に行ったときに小遣として渡す。ヘナロには100ドルを『エスニアス』への寄付として渡す。

田中さんは翌日朝、キューバに1カ月の講義のために出発。

ひどくバイタリティーのある人で感心する。しかしアメーバをもっているそうだ。ドウェニアスも腹痛がおきた時そう言っていたので、アメーバをもっているメキシコ人は多いようだ。

田中さんは、非常に多忙の中を私のために手配してくれ、時間をさいてくれたことは感謝すべきである。鎌田君の権力欲のある冷たい人という評価はどうも不当のようだ。あるいは私を大いに利用価値があるとみてサービスしてくれたのか。いずれにせよ、私には親切で、おかげで有益な調査ができた。

1990年
3月30日
【金】

メキシコ観光会社でアグアス行2人分、帰りのグアナファトからのFlightを予約する。

日本大使館

正午、日本大使館の経済担当倉本すすむ氏と会う。約2時間、メキシコの政治、経済について話を聞く。若いが頭のよい人のようだ。いろいろ有益な話が聞けた。

日本大使館の警備は、ある程度厳重。メキシコ人? 労働者がアメリカ大使館に抗議に行ったとき海兵隊によって追い払われたので、日本から圧力をかけさせようとして日本大使館に乱入したことがあり、それ以来厳重になったという。

倉本氏の話

メキシコ政府の政策転換

政府は自由化政策への転換を図っている。その主要内容は、①貿易自由化、②外資規制の緩和、③国営企業の民営化、④価格統制の緩和（民衆の生活関連物価の値上げ）。

85年まで輸出の中心は石油だったが、86年から激減。それに代わって工業製品が急増しつつある。89年には工業製品（金属、機械、機器）は石油を抜いたものと思われる。

一方、輸入は、自由化のため88年から急増し、収支の黒字幅が縮小している。問題は，従来、貿易黒字で対外債務をファイナンスしてきたが、今後もそれができるかどうか。できないと自由化政策はつまずく。現在、債務支払は80億ドルである。

貿易

85年7月、輸出制限品目につき大幅な輸入自由化が行われ、86年8月、GATT加盟。87年7月、輸入公定価格品目の削減等、大幅な輸入自由化措置を発表し、輸出促進政策に転換。

外資

戦略産業——要するに憲法で保障されたもの以外には、外資を認める方針。戦略産業でも一部分は外資を認める部門もある。

例えば、自動車部品。4割まで外資を認めている。

土地所有

国境から100km、海岸から50kmは外国人の土地所有を認めない方針だが、実際は必ずしもそうなっていない。

民営化

戦略産業とは憲法で決められたものであって、必ずしも本来の戦略産業ではない。例えば、電気、通信は民営化の方針である。

鉄鋼▶メキシコは年産600万t、うち40万tを輸出しているが、90年3月初めに2大工場の民営化を決定した。アサム製鉄が最大で、ラサロ・カルデナス大統領の時に国営化した。シカルツア製鉄は新鋭製鉄所であるが、株の51％以上を放出する。その際、外資は歓迎すると言明した。

航空▶2社のうち、すでにアエロメヒコは民営化した。一度破産したのを、メキシコの銀行系資本が買収した。その後、サー

ビスが非常によくなり好評である。メヒカーナは現在、民営化の
途中にある。

　道路まで民営化し、外資でもよいと言っている。

　1989年5月、大統領令により、一定の条件の下で外資法の
運用をゆるめることが決定された。

　一定の条件とは、投資額1億ドル以下、3大都市圏以外、メキ
シコにとって有用であること。

　憲法に決められた規制をくぐる方法はいろいろあるが、1つが信
託基金である。資本をメキシコの銀行(メキシコの銀行は国営)
に信託し、その銀行が土地を取得する。そうすれば外資でも土
地を海岸、国境に取得できる。ただし、30年間の期限であるが、
これも89年5月の大統領令で、30年経った場合も更新を認める
ことになった。ただし、この信託基金には手間と金がかかる。

対日関係

　メキシコは貿易、投資とも65％をアメリカに依存しており、サリ
ナス政権は、対米依存を弱めるために、環太平洋諸国やECと
の関係を強めたいとしている。APECに参加を希望し、日本の協
力によって経済を再建したいとし、日本の技術、投資を求めてい
る。

　日本は債務危機に対応して、銀行が債務の切り捨てをしたが、
現在ODA資金で、公害問題に協力する方針である。ガソリンの
排ガスによる大気汚染問題であるが、これには石油関係製品が、
PEMEXが国営のために品質が悪いことが大きな原因になってい
る。日本は石油製品の品質改善のためにPEMEXの設備改善に

協力することになった。これが協力の目玉である。

　従来、日本の投資が成功していないものが多い。例えば、鉄鋼では神鋼、住金が撤退した。自動車は日産が苦労してやってきたが、政府は自由化政策に変わり、1990年秋から徐々に完成車輸入を自由化することが決定され、当面輸入枠をメーカーに割り当てた。

　政府の規制が強いこと、労働組合が保護されていることが、外資の成功しない大きな原因である。

国内資本

　大資本 ▶ 北部のモンテレーを中心に存在。ビール、セメント、ガラス等、30家族ある。

　産業資本は政府と対立しており、政党ではPAN（約10％の議席）。

　メキシコの政治勢力は大きく3つ。PRI与党、PAN保守、PRD左翼。

　1989年8月現在

　上院　PRI 60、PRD 4、計64

　下院　PRI 260、PAN 101、PRD 50、PPS 31、PARM 28、PFCRN 27、無所属 3。PRD以下を左派とすると139。

　PANは自由化を主張してきたが、サリナスはモンテレー出身であって、大資本とコネがあり、政策的にも一致している。

　メキシコは大資本の力が強く、外資が有力なのは自動車と電子部門だけである。

　中小資本 ▶ メキシコには中資本はないといわれている。日本商

工会議所のアンケート調査では、中小企業の作る原材料や部品は悪いという結果が出ている。

　政府も中小企業育成は言うのだが、実行がなかなかともなわない。日本から中小企業育成のために専門家（福地氏の弟子）を派遣したが、実状は日本の中小企業の情報を伝える程度にとどまっている。JETROも講習会を開いたりして、指導している。

　団体▶商工省の地方の出先機関があまりない。また地方の商工会議所や組合はあるが、弱体である。経済団体はないか、あっても弱体である。対外経済協議会と日墨経済協議会がある。

　工業規格▶形式上あるが、実際上はない。

参考資料

	労働者数	5人以上の中で（1975年）	
	5人未満	5〜100人	250人以上
1960年 メキシコ	35.7%	33〜34%	48.8%
1965年 日本	17.6%	56%	33.8%

　昼食にホテルに戻り、JETROに向かう。午後3時45分出発。Turismoで1.2万$。Turismoのタクシーは大型で、運転手も約束を守る。チップ不要なのでそれほど高くもない。

　専務理事の森氏に会う。午後4〜6時、約2時間話を聞く。

JETRO 森氏の話

日本資本

　日本資本は投資に積極的ではない。

理由

　①過去において政府の政策の変化が大きく、政府に対する信頼が低い。

　②合弁の相手が得にくい、取引がやりにくい、取引相手のメキシコ企業がⓐ約束を守らない、ⓑ納期を守らない、ⓒ言葉の問題等。

　③市場が狭い。人口8,400万でも、そのうちせいぜい2,000万しか対象にならない。

　アメリカとの関係が強く、アメリカ・メキシコ共同市場に対する期待が盛り上がっているが、実際には格差が大きいので、むつかしいのではないか。

　マキラドーラには日本企業は50〜60社進出している。

　日本は直接投資で100％株式所有を認めるよう要求しているが、憲法の規定によってむつかしい。

　1990年の新マキラドーラ法は生産の30％まで国内販売を認めた。また1990年の自動車法によって、外貨を獲得すれば、完成車輸入も認めることになった。

政府

　役人の質がよくない。例えば、トラクター輸入枠の横流しを警察がやり、そのためにトラクター輸入が中断された。

インフラの整備が不十分。

政府は生活の必要最低限のための物資、例えばトルティージャーや地下鉄、バスなどの運賃を安くしておいて、民衆の不満を抑えている。例えば、土曜、日曜に家族で、地下鉄でチャプルテペック公園に行って、トルティージャーを腹一杯食べて、遊んで家に帰っても、ほとんど金はかからない。

教育は普及すると意識が高まるので、あまりやらないのではないか。

国民には団結心はなく、バラバラである。民衆は政府を信用していない。

森氏はメキシコの現状、将来については、割合悲観的な見方をしている。

インフラ整備に関連して、電子・電気製品の品質保証がやっと最近でき始めた。1990年3月に法律ができて、メーカー名を表示することを義務づけたが、製品の質は非常によくない。

日本商工会議所加盟のメーカーは40社であり、成功しているのは、電子(パナソニック)、自動車(日産)以外には、ヤクルト、三菱電機(エレベーター)、三豊(計測器)等。

●参考文献
1990年『ジェトロ白書』投資編「世界と日本の海外直接投資」日本貿易振興会
メキシコの政治・経済・社会基盤調査、日本貿易振興会海外経済情報センター
1990年3月

帰りにタクシーを呼んでもらうが、Sitioでやはり1.2万$。

今日と4月1日（日）は観光。

人類学博物館

　11時半にホテルを出て、Turismoで人類学博物館へ。1.2万＄。

　約7時間、午後7時の閉館まで見学。荷物をクロークに預けたが、カメラはフラッシュを使わなければかまわないらしい。後でわかったことだ。

　1階▶ここは、展示の仕方がモニュメント的なものを中心にして、日常生活、技術などには重きをおいていないので、技術、生産、経済などがよくわからない。しかし土器は、ロクロはついに発明

されなかったようであり、石器を最後まで使い、鉄器、青銅器はない。金、銀の装飾はあるが少ない。これはスペイン人に略奪されたためなのか、もともと少ないのか。都市とその中心の神殿は大きいが、それを支える農村は発達していない。犁はなく、スペイン人が持ってきたと思われる。牛2頭引長床犁であり、これは鉄製になったものを現在でも使っている。社会構造についての説明も

上・下：人類学博物館

少ない。

　ユカタン地方は、人種、文化が相当違うように思われた。例えばマヤの石の浮彫はバビロニアのものとよく似たものがある。

　マヤ文明の社会の5階層の図がある。これが正しいのかわからないが、職業によって階層化されているのは、インドのカースト制的なものか。ともかく、マヤだけでなく、アステカ、トルテカ等も上層と下層の差は大きいようであり、階級社会であるという感じが強い。

　また、農業生産力がそれほど高くない段階で神官政治が高度に発達し、神殿などの建造と維持、神事、都市建設に剰余を使ってしまい、生産に再投資されず、農業などの生産力は発達しなかったと思われる。過重な剰余の搾取が行われ、社会が疲弊した時に外敵に対する抵抗力が弱まり、外の部族の侵入をうけてその文明がほろびるというパターンが繰り返されたようである。そのために、社会構造が神官政治の段階からついに変化しなかった。

　2階▶インデヘナの各種族(メキシコに約60あり)の民俗を展示している。1時間くらいしか時間がなく、大急ぎで一順しただけだが、資料は貧弱である。1階中庭でインデヘナの音楽の踊りの簡単なものを繰り返してやっていた。1回40分くらい。

　計算▶帰りにBook Shopで本、絵はがき、展示のカタログ、民芸品の模造品を買う。インデヘナの手織布の模造品135,000＄だった。会計で18万＄払ったが、ホテルに帰って計算書を見ると、布の値段が13,500＄と1ケタ安くなっている上に、他にも計算間違いがある。計算機で打っているのに。

大体メキシコ人は計算が下手のようで、ホテルの会計も、最初の時の払いが百三十数万＄を請求され、見てみたら百十数万なので、違うと言ったら、再計算し97万＄を請求した。

　帰りのタクシーのTurismoが6ドルと言うが、1.7万＄くらいになるので、1.2万＄に値切って乗る。

　タクシー ▶ メキシコのタクシーは、言われるほどボラることはない。韓国よりましかもしれない。少なくともすぐにつかまるので楽だ。

　韓国では、不慣れな外国人と見ると10倍の料金を吹っかけることもある。日本人はいいカモになっている。表面上は、日本は朝鮮・韓国を植民地にして搾取したから、その仕返しだと言うが、運転手と話していると、実際は低賃金なので、それを補うためだと言っていた。

**1990年
4月1日
【日】**

　朝、方々に電話し、また電話がかかってきて忙しく、やっと11時にホテルを出て、地下鉄のインスルヘンテス駅で切符を買う。1,000＄出したら、3枚切符をくれた。1枚300＄、つりはなし。どうもメキシコはカネの勘定が大ざっぱなのか？　途中、乗り換えてソカロへ。地下鉄はわかりやすくできている。乗客はたしかに服装や顔などからみて、下層の人が圧倒的に多いことはわかる。物売りも来る。最初なので、相当に気をつけていた。例えば、服装。カバンは、つりヒモでしばり、肩にかけずに手でもつ。カメラ等はカバンに入れる。隣の人に気をつけ、目立たないようにする。なるべく一

方が壁になるところにいる。しかし何事もなく、危いことはない。

乗り換えの通路には、警官がおり、道を聞く。通路に物売りが多い。物売りはソウルの地下道にも多いが、駅の中にはいなかった。この違いはどうしてか?

地下鉄の駅の停車時間はかなり長い場合が多い。

ソカロ(ZOCALO)、大寺院、テンプロマヨール、その博物館、国立宮殿(大統領官邸)の壁画を見る。

上:アメリカ塔からのメキシコシティの眺め
下:国立芸術院の壁画

カランサ通りのバルバライン伯の旧邸、Madero通りを行き、サンフランシスコ教会、その1つ手前の教会で休む。年寄り、おばあさんの物乞いが多い。

タイルの家の中のカフェでコーヒーを飲んで休み、アメリカ塔42階にのぼる。8,000$。展望台からの眺めがよい。ここでは恋人が公然と抱き合い、キスはもちろん、男は女のオシリ、オッパイをさわりまくっている。

国立芸術院へ行く。この2階の壁画はすばらしい。正面の壁画はDavid Alfaro Siqueiros、左右に女性が描かれているのがJorge González Camarena、スペイン軍がアステカをほろぼすとこ

ろを描いているのがSiqueiros、Diego Riveraの現代社会革命を描いたもの、マルクスやレーニンも描かれている。

　民族舞踏の切符は、日曜は売切れて、水曜ならあるというが、水曜はメキシコシティに居ない。1等5万$、2等4万$、3等2万$である。

　アラメダ公園の人ごみの中を歩く、大道芸人たちの芸はたいしたことはない。地面にすわって物を売っているのはインデヘナの女性、子供が多い。写真を撮られるのをいやがる。

大道芸人の踊り

　歩いてホテルに帰る。

ホテル代

ホテルの部屋代が4月1日から急に上がった件について、川田さんに電話して調べてもらった。3月27日、シャワー付の514号室64,400＄、3月28日〜4月1日、バス付の620号室86,250＄、食事その他を合わせ4月1日までの計756,280＄、4月1日より部屋代が113,850＄に値上げ（値上げ率32％）だが、そのままいれば元の料金であるとのことである。部屋に張った料金表は4月1日から14万いくらなのだが?

実際にとられた料金は、4月3日までが86,250＄であり、4月6日が304号室で94,300＄、4月8日〜4月11日が118号室で、これがツインベッドで一番広く、よい部屋であるが113,850＄であった。正しいのはどれなのかはよくわからない。

メイドのチップは、田中さんは出る時にまとめて払えばよいと言っていたが、毎日1,000＄を枕の上においた。

メキシコ観光会社

11時にホテルを出て、メキシコ観光会社でアグアスカリエンテス行のFlight（2人）とLEONからMEXICOのFlight（1人）の切符を買う。

料金（1人）▶MEXICO／AGUASCALIENTES Tarifa M.N. 139,200＄、D.U.A. 10,500＄、I.V.A. 20,800＄、計170,580＄。BJX（バヒオ）／MEXICO　Tarifa 135,630＄、D.U.A. 10,500＄、I.V.A. 20,345＄、計166,475＄。

商工会議所（CAMARADE COMERCIO JAPONESA）

　正午から午後2時30分、事務局長松本タカシ氏、67歳に話を聞く。

　松本氏はなかなか面白い人物。

松本氏の話

メキシコ資本

　侵略者の習慣で労働者をこき使う。製品は売り手市場であり、経営者は苦しいことは避ける傾向がある。

　地方では、今も市場では物々交換が行われている。

　最近、輸出関係企業は、ようやくよくやるようになってきたが、国内向けの産業部門はまだダメ。工業規格をつくる動きが出てきている。

　素材は国産化率を維持する方針であり、日本から技術者を送りこんで指導している。インフラ＝電話・郵便・交通等がよくない。通勤時間がかかる労働者は、今も昼に家に帰って食事をする。

　地下経済が多く、50％も占めているといわれている。電力消費は年に7〜15％も伸びているのに、製造業の成長率は0％というようなおかしなことが起こっている。つまり、製造業でも地下経済が大きくなっている。

　政府に対する不信感が大きい。今年、新税法が行われ付加価値税は15％になり、財産税2％、不動産税の値上げが行われたが、実際にどの程度税収が増えるか疑問である。

財閥

ガラス、石油化学、食品等。ユダヤ系、レバノン系、スペイン系等。

労働者・賃金

賃金は最低賃金法によっている。1日1万$（ただしこれは、地方ごとに異なり、1万$というのはメキシコD.F.のことか?）。

日給制であり、土曜、日曜は休みだが土日も日給を支払う。最低賃金委員会があり、職種ごとに最低賃金を決める。賃金のよい企業は、最低賃金の2倍以上支払っている。

企業は税引き前利益の10%を労働者に分配しなければならない。

また、年末手当も法律で年15日分を支払うことになっている。平均では、1.5カ月支払う。2カ月支払っている企業もある。

健康保険加入労働者は全体の8割くらいになるだろう。

労働組合がある企業では、労働契約によって、労働組合が労働者を推薦する権利をもっている。

1982年の経済危機以後には、雇用は労働組合を通さずに自由にできるようになった（これは不正確で、組合がある場合には、その組合の管轄範囲の職種——これを直接雇用という——は、やはり組合を通さなければならない。しかし、企業はそれ以外の職種を増やす傾向があり、また、組合がない場合は、雇用は企業の自由である）。

労働者の学歴▶小学校卒が5〜6割、小卒以前の中退も多い。

小学校にも夜学がある。すべての企業には、労働者に対し職業訓練をすることを義務づけている。日系企業は熱心である。

日系企業

162社あり、うち43社はマキラドーラの企業。その他は115社。

主要メーカー

日産▶国内販売シェア30％で第1位。

パナソニック▶82年末で15％のシェアだったが、現在は90％以上（これは、国内生産額の90％というより100％近いが、他に輸入がかなり多い）。

前川製作所▶コンプレッサーでは独占的。25年前に進出。

企業のトップは3～4年で交代する。新しいトップになって経営方針が変わって、それに対し労働者が反抗して経営がうまくいかないことがある。そこで副社長には任期の長い、メキシコをよく知っている人を据える傾向がある。

日系企業は高賃金であり、大体メキシコ企業の2倍を支払っている。その代わり労働者はよく働く。

製造業で実際に生産しているのは22社であり、他は駐在員事務所を置いているだけである。22社はメキシコ資本を買い取ったものが多い。半分くらいはメキシコ資本との合弁である。

●参考文献

ANÁLISIS-85　HOMERO　136　11570　MEXICO, D. F.
Tel 531-34～30
Marketing Department 250-46-88
Tendencias Economicas y Financienras
ACTIVIDAD ECONOMICA
メキシコ経済年鑑　88年版

MEXICO KEIZAI, S. A. de C. V.

AV. Juarez 88 Desp. 301, Col Centro, D. F., 06040

Tel 512-3622　Fax 512-1907

　松本氏は、メキシコ滞在19年。それ以前に阪大工卒、大学院で研究をしていた。メキシコでは十数年メキシコ資本と合弁（40％所有）で企業を経営していたが、メキシコ資本と経営上うまくいかなくて解消した。

　ホテルに帰り、昼食は近くの日本レストラン酔月に行き、天丼を食べる。

　エビ以外にもナス、人参の天ぷらが入っている。そのあと、ソナ・ロッサをぶらぶらし、電気製品の販売店をのぞく。ソニー、日立、東芝、三星、金星（三星、金星は韓国企業）の製品が置いてあるが、日本製品が目玉のようである。

　昼寝。

　粟飯原さんと午後7時、ホテルで待合せ。ソナ・ロッサにあるホテルの地下のフランス料理店で食事。高級のようで20万＄以上かかる。論文、資料等を渡して相談。

　楽師が4人で組になり、席をまわって音楽を演奏してくれる。

　メキシコの民謡や恋の歌、「上を向いて歩こう」をサービスしてくれた。1万＄のチップをやる。11時にホテルに帰る。

　ホテルまでは近く、歩いて行けるのだが（行くときはホテルからレストランまで歩いた）、暗くなると危ないということで、タクシーCitioで帰る。

粟飯原さんはホテルに車をおいていた。飲酒運転もそうやかましくないようだ。

　彼女は日本語を教えているが、漢字廃止論者であるらしい。私は、漢字は非常に便利で、表音文字と一緒に使うのがよいという意見だが、彼女は漢字文化圏以外の人間にはむつかしくて、漢字があるかぎり日本語は世界語にはなれない、という意見である。それは、たぶんそうだろうと思う。しかし、漢字をなくして世界語になることはないというのが私の意見である。

1990年
4月3日
【火】

　ロマンがアグアス、グアナファトに行けなくなり、代わりにドゥエニアスが行くことになったので、メキシコ観光会社に行って、Flight の切符の名前を変える。

　時間がかかってしまったが、地下鉄でグアダルーペ寺院へ行く。2回乗り換えて、途中から地上に出る。BASILICAで下車、掃除の女性に上り口を聞く。途中で道を聞く。グアダルーペと言えば、道を教えてくれる。歩いて10分くらい。

　もとの寺院は傾いていて使われていない。工事中。人はかなり多いが、それほど信仰に熱心なようには見えず、むしろ観光化している感じである。裏の山の上にあるテペチャック礼拝堂、旧寺院の裏にある博物館に行く。

　グアダルーペ寺院からエル・コレヒヨまでタクシーで行こうとしたら60kmもあり、6万$と言うので、一端やめて地下鉄で行こうと思ったが、道を間違えてしまい（急いだのが間違いのもと）、引き

返し6万$を5万$に交渉して、Citioでエル・コレヒヨへ。

　後で粟飯原さんから2万$くらいと言われた。しかし2万$ではとても無理と思われる。

　昼食の約束の時刻に少し遅れ、大学の職員の食堂で、シルバ部長ともう一人の教授、岩島氏、粟飯原氏と私。

　生協が経営し大学から補助金が出ている。

　その後、粟飯原さんの案内で図書館を見せてもらう。

　ドゥエニアスと3人でお茶を飲む。そこに農学の専門家のキャスティン・アペンディーニさんが来て話を聞いたが、彼女はバヒオ地方については知らないとのこと。

　ロドルフォ・ゴンザレスに、お父さんに連絡してバヒオ地方の農場の見学を頼んでもらうことにした。

　帰りはCitio（V. W.）で、ホテルまで1.5万$。

　夕方から天気が悪くなる。

1990年 4月4日【水】

　ホテルを7時30分出発。ドゥエニアスと空港へ。Aero Mexico 138便、9時15分発。時間があまってしまって、空港で相当待つ。

　時刻がくるとカウンターに便のNo.が出るので、搭乗手続きをする。

　飛行機は満席。アグアスの有名な祭りが来週あり、そのロケに有名なプロデューサーが撮影に行くのだそうで、それが原因だろうということだ。

　定刻発。スチワーデスは美人が多く、あいきょうもよい。

日産のアグアス工場

日産アグアス工場見学　左から日産社員の
井上氏、中村、ドゥェニアス（エル・コレヒヨの
学生で通訳兼ガイド）

空港に井上氏が迎えに来て
くれ、副社長が私と入れ違い
に出張であった。井上氏の運
転で会社に行き説明を受けた
後に、工場を見学。

工場内の撮影は断られた。

井上氏は1984年にトランス
アクスル工場設立のために来て、
現在、ユニット部門支配人。

井上氏の話

クエルナバカ工場の設立は1963年。

LERMA工場（トルーカ）は1978年。鋳物工場。

アグアス工場の設立

エンジンをFRタイプからFFタイプに切り替えるため。

トランスアクスルはメキシコ資本のトメス、スナイサーがFR時代
につくっていたが、FFにするためにアグアスに工場をつくり、内製
することになった。

1981年12月、エンジン工場定礎。

1982年8月、トランスアクスルの工場としてニポメックス設立。

株式は日産40％、アグアスの地元資本6社が60％所有の合
弁企業。

　ただし、地元資本は資本提供のみで、経営は日産が行う。これは外資規制法をくぐるためか？（自動車部品は、外資は40％までに規制されている）。

　しかし、1989年1月に日産に合併した。

　1990年4月に組立工場（月産8,000台）の定礎式。

　敷地180万㎡で、クエルナバカ工場43万㎡の4倍以上。労働問題、アメリカ向け輸出戦略から、将来はアグアス工場が主力工場になる見通し。

労組

　アグアスに工場をつくったのは、労働問題が大きい。

　クエルナバカの労組は独立系であり、争議も多い。高賃金である。

　アグアスはCTM（PRIの下部組織）であり、これまでロバルト・ディアスという労働ボスが支配しており、組合長を30年間していたが、昨年、新しい組合長に代わった。それまではボス交ですんでいたのが、若い組合長になって、団交をやる方向をとりはじめた。

　組合員750▶オペレーター700、保全、工具係等

　信用従業員（非組合員）1,200（日本人出向者17名）▶検査、倉庫管理、事務、上級保全員

労働者（組合員）

　昇進制▶エスカラホン。経歴の古い順に優先度が高い。

　労働者（組合員）▶クエルナバカでは1〜9級。上級に空ができ

ると、そのすぐ下の級の経歴の古い労働者が、上級にあがるというやり方であり、経営側にとって都合が悪いので、アグアスでは3級にした（見習、正規、指導員で、現在40％、50％、10％の割合）。

組合員は小学校卒を採用。能力としては字が書け、足し算、引き算ができる程度。採用時の競争率は3〜4倍である。

賃金、待遇▶賃金は10％くらいメキシコ資本より高くしている。

1級見習▶日給1.33万＄。土曜・日曜も加えて週ごとに支払う。6カ月で2級になるが、見習中に月4日欠勤するとやめさせることができる。しかし、実際にはほとんど、月4日以上欠勤する者はいない。6カ月のうちにやめる者は約半数、ほとんど自己都合で、会社がやめさせることはない。

2級▶日給1.9万＄。

3級▶リーダー。2.44万＄。

2級以上は、年に10％くらいずつやめてゆく。女性は定着率がよく、がまん強い。男女の仕事上の区別は、特定の職種以外にない。メキシコの女性は体力があり、男性と同じ仕事ができる。

欠勤率は5％で低い。

3直制▶1直週48時間、2直週45時間、3直週42時間

1直▶午前7時〜16時30分

2直▶16時30分〜午前1時

3直▶23時〜午前7時30分（いずれも食事30分）

食事時間が30分と短いが、これは他の工場でも同じのようであり、理由は、会社に居る時間が少ない方を労働者は希望するとのこと。

従業員は会社がバスで送迎する。運賃は100$。

食事▶会社の食堂で食事をするが、食費の75%は会社が負担する。これは従業員にとって大きな魅力である。食費は3,000〜4,000$なので月に5万〜6万$くらいの実質賃金になる。

信用従業員

テクニコ(中卒に1年間職業訓練学校に行った者)▶平均月給97万$

2〜5級▶リーダー。平均128万$。400人。

6〜7級▶大卒。一般に150〜250万$。7級:270万$。300人。
大卒でも数年で50%はやめてゆく。管理が重要である。

職制▶課長、次長、部長。23人。

生産・販売

対米輸出▶エンジン、トランスアクスル。国境まで900kmをトラックで運び、ラレードで列車に積み替え、アメリカ、テネシーのナッシュビルの日産工場へ持って行く。約4日で着く。

クエルナバカ工場から650km。

トランスアクスル60万台は、米国とクエルナバカに半々ずつ送っている。

エンジン▶年産10万台。サニー用エンジン、トラック用エンジン、部品、プレス部品。外貨をかせぐために作っている。

日産の計画▶14万台。乗用車10万台、トラック4万台、うち輸出3万台。

現在、メキシコの国産は70万台。うち国内販売45万台、88、

89年は30％ずつ国内販売が増えている。

　日産は、87年にシェア1位（30％）となった。これは台数であり、価格では米系のほうが高い。販売増加率は88年20％、89年15％。

　メキシコの自動車保有台数は800万台。

　新車の値段はV. W. が大衆車で1,400万＄。

組立工場の建設

　輸出専用で月8千台。サニー（TSURU II）、米国、日本に輸出する計画。92年末完成予定。

　設備は日本から輸入し、建設資金は日産が出す。

　資金については、外貨は日産から借りるか、独自に米銀から借りる場合も日産本社の保証が必要である。ペソの調達力はあるが、外貨資金の調達力はまだない。

小倉龍彦アグアス工場支配人の話

　生産性、品質は国際レベルに達している。

　品質▶トランスアクスルの不良品率　0.2％で日本並み。

　　　　　アルミ鋳造の不良品率　　　　2％

　　　　　エンジンは日本の7〜8割である。

　生産性▶日本の9割のレベル。

　89年12月、1人当たり月産180台。日本は200台。

　品質の評価システム▶5〜6年前からVESシステム（日産開発）を採用している。

　米の雑誌『JDパワーズ』、『ロジャーズレポート』などがユーザー

にアンケートを出して各社の車の評価をしており、その影響力が大きいので、それに対応していかなければならない。

　それで検査員（技術員）を180人、全従業員の10％程度をおいており、品質管理を行っている。

　社内教育、作業の標準化も行っている。

　採用時の教育は90時間。導入教育として労務・安全1/4、エンジンに関するもの1/4、他の1/2はラインサイドで実地教育する。

　工場見学の時、工場内で新入労働者10人くらいが、イスに座って教育を受けていた。

作業の手順

図面（設計）　本社からく来る

　　　｜

管理工程図（生産技術）　工場で作る

　　　｜

作業表（生産技術）

　　　｜

標準作業書（工長、係長が作る）

技能レベルの評価は3段階。

I＝一般、L＝人に教えられる、U＝改善できる。

カン・コツが重要である。

工場内で

トランスアクスルのフレキシブルラインは日産本社では1980年に導入したが、この工場では85年から導入。現在、半分がマシニングセンターで半分がフレキシブルラインである。

原材料

鉄 ▶ すべて日本より輸入。サニー、トラックの内板はメキシコ製だが、外板は輸入、アメリカから。

歯車 ▶ 鉄は日本から輸入。歯車は音がしないことが大事で、そのためには歯車どうしがよく噛み合わなければならない。

昼食

井上氏とアシェンダの館NORIAへ。

外を塀で囲まれ、水があり、きれいな庭園を前にして食事。

外とは全く違う世界である。

農業地帯

工場に戻り、4時頃から日本人の従業員の人の運転（車は個人に対して会社が貸すのだそうだ）で、カサテカスの方へ半分くらい、50〜60km行き、そこから東の丘にのぼり、かなり大きなダムに行く。しかし水は少なく、管理人も居ない。ダムは早く埋ってしまうのではないかと思われた。途中、近代的農場がいくつかあり、撒水機で水を撒いていた。トラクターなどの農業機械の置場もあった。この畑は青い作物が生えているが、周辺のインデヘナの農地は乾燥しており、乾期の終わりなので、畑には何も作ら

れていない。 非常に対照的である。

　ダムの反対側の(カサテカスに行く道の西側2〜3kmのところにある)小さな町をまわり、アグアスカリエンテスに帰る。

　ホテルに7時頃着く。

　Hotel MEDRANO。 モーテル式のホテルで1人57,600＄。

　夕食はホテルの食堂で。

**1990年
4月5日
【木】**

　朝9時発のバスでレオン(LEON)へ。11時30分着。1人540＄少々。

　　レオンのバスターミナルの前の食堂でコーヒーを飲む。ここは靴の町で、ターミナル前も靴の商店が多い。

　レオンからバスでグアナファト(GUANAJUATO)へ。1時間少し。山の中の町。ここは植民地期最大の銀山のあった町。バスターミナルは町とは離れた所にあり、タクシーでゴルキ・ゴンザレスの家に行く。午後1時過ぎに着く。

　彼はメキシコで有名な陶芸家であり、奥さんは日本人(よしこさん、韓国京城生まれ、4歳の時、敗戦で帰国)、日本で2年半陶芸の勉強をしたので、日本語がある程度話せる。東京、岡山に主に住み、京都にも居たことがある。備前焼、信楽焼などが好きだという。日本に対して非常に好意をもっている。

　日本における人間関係をなつかしがって、知人に日本のよさを話す。

　メキシコの焼物には、3種類の産地があるそうだ。インデヘナの

土器、スペインから入ってきた焼物、それにチャイナの焼物の影響があるという。

秋田犬を飼っており、部屋には世界各地の焼物が置いてある。

昼食後、午後4時より、ゴルキの車で出発。SILAOにある、ANN O'BRIEN会社の野菜、果物の加工工場に行く。

ANN O'BRIEN会社

労働者300人、150人2交代。1直8時間に1時間の休み。忙しい時は3交代もある。

原料はすべて買い入れる。

労働者はすべて女性で、若い人も中年も、時には年寄りもいる。日給9,000$。

月曜～土曜働き、日曜は休みだが、時には日曜も働く(祭日も)。

翌日は祭日だが、この工場は休まないとのことだった。日曜、祭日は1.8万$払う。

生産は、アスパラガス1年13万箱。1箱24ビン、12ビンが多い。

88年には11.3万箱を輸出。

アスパラガスには2種あり、1つは全くの手作業(分業あり)で、これは高級品。

もう1種はベルトコンベアで流して順次加工している。その中に部分的に機械による加工工程が入っている。

果物の一種は皮を剥くのだが、全て手作業で、これには中年、

年寄りが多い。

アスパラガスの労働者は若い女性ばかり。玉葱の加工もあるそうだ。

25年前から経営している。ケレタロ州、イラパト、セラヤにはもっと大きな（100倍も大きいと言っていたが、これは誇張）加工工場があるそうだが、グアナファトにはここ1工場だけだそうである。

アルフォンソ・ルイスの農場
右端がルイス、
中央が中村、左端がドゥェニアス

アルフォンソ・ルイスの農場

郊外、車で20分くらいのところにある。

途中、エヒーダタリオの村落があったが、かなり貧しいと思われた。1人9haの割り当てだそうだが、天水でトウモロコシを作っているらしい。

ルイスの農場の労働者にもなっている。

農場は240ha。灌漑して

上：アルフォンソ・ルイスの農場
輸出用アスパラガスを作っている
下：アスパラガスの加工場

いる。しかし、灌漑の仕方は作物によって異なる。撒水機の場合もあり、高級なアスパラガスは15日に1回、水路から畑の畝の低い部分に水を引き入れる。トラクターにタンクを積んで撒く場合等。

作物はアスパラガス2種、80ha。チリ（とうがらし）10ha、西瓜5ha、アルカチョファ（ALCACHOFA）、JICAMA、MAIZ、ジャガイモ、等々を作っている。

労働者は30〜80人。かなり多くの農業機械を使っているが、一方、野菜などの栽培には手作業が多い。

トラクター、水を撒く機械、ジャガイモ収穫機、パイプ等。

農場は数か所にわかれている。

アスパラガス2種。白いアスパラガス（高級品）は畝を高く作り、その間の溝に15日に1回水を流す。アスパラガスの芽が土から出た時に土の中のアスパラガスを採らなくてはならないので、毎朝採る。そうでないと固くなってしまってダメになる。

もう一種の方は撒水機で水を撒くようである。

アルフォンソ・ルイス▶人のよい大男。彼は土地の有力者で政治もやる。PRIから参議院にも出たことがある。

農場にある彼の家はアシェンダの館のやや小型のような家で、そこで休み、バーでテキーラを飲む。

日が暮れたので町に戻り、ルイスの家でまたテキーラを飲む。

アルフォンソとゴルキはテキーラをびんで飲む。そのうちに彼は私に自分をアルフォンソと呼べと言う。友人になるとファーストネームで呼ばなくてはならないわけだ。

そこからゴルキの車で、ゴルキのアメリカでの先生の妹の子供

が来るので空港まで迎えに行く。ギオ・ロッシーニ(Glo Rossilli、イタリア系)、彼の友人のデンマーク人の金髪の美人(ビジネス大学1年生)が一緒。

　ゴルキの家に戻って夕食をし、彼ら二人はホテルに泊り、ドウェニアスと私はゴルキの家に泊る。

　グアナファトは山の中の町なので坂が多く、道はトンネルが多い。

1990年
4月6日
【金】

祭り

今日は、DIA DE LEVIRGEN(処女) DE DOLO-RES(苦痛)、またはJIERNES DE DOLORES:セマナ・サンタ(イースター、復活祭)の前夜祭のようなもので、キリストの死を悲しんだマリアの祭りである。

　ウニオン広場とファレス劇場、サンディエゴ教会の前にはいっぱいの人出で、大体は若い男女である。花を買って帰り、マリアの祭壇に飾る。祭りにかこつけて、若い男女が一緒に遊べるということらしい。

　ドウェニアスはPMIのバスでメキシコD.C.に帰り、私は、イタリア系アメリカ人、デンマーク美人とゴルキの車で出かける。

観光

　ディエゴ・リベラの家。アパートの1、2階で割合広い。

　ここにディエゴの若い時からの絵が年代別にあり、その変化がよくわかる。最初はヨーロッパ風のオーソドックスなものであり、

ディエゴ・リベラの家の部屋

1920年頃から変わってくる。メキシコに帰って、独自のものになる。

アロンディガ・デ・グラナディータス ▶独立革命の時、政府軍が立てこもったもと穀物倉庫。中庭がある。今日は祭りなので2階の壁画は見られない。

　グアナファト大学の前を通り、坂道をのぼってバレンシアーナへ。

　世界最大の銀山があった所で、現在も多少掘っているが、今日は祭りのため休んでいる。

　山の上に城のような鉱石の選鉱所があり、5,000人の女性が働いていたという。

　鉱山は休みのために、鉱道には入れない。

　バレンシアーナ教会は、鉱山王バレンシアーナが作ったが、彼の娘の結婚式には屋敷から教会まで銀の板を敷きつめたという。

　鉱山からのグアナファトの景色がよい。

　鉱山から少し下りた所のアシェンダのレストランでビール、テキーラを飲んで話す。

　ゴルキの家に帰り、タイ料理の食事をし、ゴルキの運転で、ギオ・ロッシーリと空港へ急ぐ。

空港

レオンの空港は最近なくなり、バヒオ（BJX）空港が新しくつくられている。ところがFlightの時刻が、切符では17時なのに、16時30分だったので間に合わず、乗りそこなってしまった。明日は朝からインデヘナの村に行く予定なので、全く困ってしまう。ゴルキがいろいろアエロメヒコの社員に交渉してくれたが、結局ダメだった。その切符を買ったところと交渉してくれということだ。

バス

やむをえずバスでメキシコD.F.に帰ることにして、レオンのバスターミナルに行く。午後6時前に着く。

バスの切符は18時30分発のものがもう売り切れてしまい、19時30分発しかない。ゴルキが交渉して、18時30分発のバスに乗らない人がいたら乗せてくれることになり、結局乗ることができた。改札係の女性が、18時30分にならない時刻で、まだ空席がある時に乗ってよいと言ってくれた。少し変だと思ったが、このあたりもメキシコでは交渉によって変わるのか、あるいはゴルキがチップを握らせたのか？

ともかく、ようやく18時30分発のバスに乗れた。ゴルキにはずいぶん世話になってしまった。陽気でおしゃべりの好きな人物だ。

メキシコD.F.行夜行バスは数日前、強盗に襲われ日本人が殺された事件があり恐かった。バスでは隣の席の黒人のおじいさんが少し英語を話せるので話をしたが、やがて彼は寝てしまった。バスは途中、いくつか（とくに最初の頃は）停まったが、かなりの

スピード——おそらく時速100キロ以上——で走る。メキシコ
D.F.まで500キロくらいあると思われるが、午後10時20分に北
バスターミナルに着いた。

　北バスターミナルのタクシーブース（TAXIと書いてある）で、乗
合タクシーのチケット（ホテルまで5,200$）を買い、その方面の乗
り場で待つが、なかなかタクシーが来ない。来ても、相客がいな
いので他に行ってしまう。とうとう諦めて1人で乗せてくれる運転
手が居て、12時にホテルに帰る（チップ800$）。

　すぐ部屋から粟飯原さんに電話したところ、エルナンデスは田
中さんから、中村先生が疲れるので日曜か月曜に行くように言わ
れていると言っていた。粟飯原さんは、中村は土曜、日曜に行
くつもりだと伝えておいたとのこと。中村に連絡するようにと言っ
たという。

朝、ドゥエニアスから電話があり、彼も同行すると
いう。9時半までにホテルに来ることになる。彼は
日産本社に連絡をとった。4月9日に行くことになる。
エルナンデスから9時に電話があり、これから行く
と。9時20分頃着くというので、荷物3個をフロントに預け、ロ
ビーで待つことにする。ヘナロがすでに来ていて、誰もいないの
で、川田さんに電話していた。

ドゥエニアスが来て、次いでエルナンデスが9時40分に来て、
彼の車で出発。

同行は、ヘナロ・バウテスタ、ドゥエニアス、エルナンデスとそ
の奥さんファナイネス。

Genaro Bautista ミステコ族、オアハカ出身。

Madero 67-411、Col. Centro、México、06000, D.F.

Sergio Hernandez Galindo

Juana Ines De La Fuente Godinez

Sergio Dueñas R.

メキシコ市を出る時、LAS LOMAS DE CHAPULTEPEC を通
る。ここはメキシコの金持の住宅地。

ヘナロ・バウテスタの話

車の中で，アトラコムルコに着くまで、ヘナロにインデヘナとそ
の運動についての話を聞く。

彼は、ミステコ族でオアハカ出身。現地で案内してくれるのは
アントニオ・ロペス（Antonio Lopez Marin）。

Juan N. Resendiz No. 150-6, Col. Lagarita, Atlacomulco, Mex., C. P. 50450

ロペスはMazahua（マサワ族）で、国立教育大を卒業し、小学校の先生をしていたが、現在、文部省のComittiで、政府からこの地方に派遣されている（日本の視学官のようなもの）。

ヘナロの発行するインデヘナの人権擁護の雑誌『ESNIAS』。発行部数5,000、2カ月1回だが、金がないと出せない。一番出たのは1989年2月4日号（6号）で7,000部。

メキシコには56のエスニアス・グループがある。1987年にはそれがメキシコで集会を開いた。MIXTECO（ミステコ）、TRIQUI（トリキ）、OTOMI（オトミー）、ÑAÑU（ニャーニュー）、MAZAHUA（マサワ）、ZAPOTECO（サポテコ）、NAHUATL（ナウワク）、等々。

メキシコシティには500万人のインデヘナが住んで居り、メキシコ全土では2,000万人いる。彼らは特別な所に住み（つまり同じ種族だけが集まって住み）、種族の言葉を話し、特別な生活知識をもっている。

なぜ同じ所に住むのか、と質問したら血が呼ぶのだという。

インデヘナの中ではマヤとナウワクが、自分たちが上だと思っている。それで他の種族はマヤとナウワクがきらいである。しかし、政府に対しては団結する。

1920年代に、ホセ・バスコンセロスが文部省のリーダーになり、インデヘナの言葉をなくしてゆく政策をとった。

バスコンセロスは1922年、革命政府の文部大臣となり、リベラ、アルファロ、シケイロスなどの壁画を公共建築に描かせた進歩派であったが、彼は同化主義者であったのだ。

以来、インデヘナの言葉はだんだんなくなってきている。コミティのあるところには残っている。

1980年のセンサスでは、インデヘナの人口は2,000万で、60年センサスより増加していた。

『DEMOGRAFIA DE LOS PUEBLOS INDIGENAS』という本では、2000年には、インデヘナの人口が多くなり、メキシコ人口の半分以上を占めるようになるかもしれないとされており、政府はそれを恐れている。

今年、1990年のセンサスでの質問に「あなたはインデヘナの言語を話せますか」ということが加わった。

子供が多いのはインデヘナの伝統である。今はインデヘナの別の種族と結婚する者も多い。高卒、大卒の者はメスティーソと結婚する。インデヘナでない方がよいと思っているのだ。

インデヘナのグループが集って結婚すると、子供はスペイン語を話す。両親の言葉とスペイン語の両方を話す子供は少ない。

スペイン語の話せるインデヘナは35％くらいだろう。

アトラコムルコ（ATLA COMULCO）

アトラコムルコに着きホテル、エル・ドラド（El Dorado）にチェックイン。町で一番のホテルである。3室で6.6万＄。1室2.2万＄＝約1,200円。ホテル代は韓国よりやや安い。交通料金も安い。

ここでアントニオ・ロペスに会う。

ロペスの話

　マサワ族について。マサワの人々は60万人であるが、政府発表では20万人である。スペイン語が話せない者は50%。メキシコシティに引っ越した子供で、マサワ語で話せない者が50%だが、話せる者が増えている。

　教育▶中学卒は約50%、高卒0.6%、大卒0.5%以下。費用は安いが、働かなければならないので、高校へは行かない。

　オトミー族は60万人。

サン・ファン・ハロス村（SAN JUAN JARROS）

　この村の土地は、エヒード、プリバーダ（私有地）、コムナレス（村の土地）の3種。エヒードとプリバーダの両方を持っている者もいる。

　プリバーダは、PEQUÑO（ペケニョ＝小さい）PROPIETARIO（土地所有者）。

ラモル・ノロイ（Ramor Noroy）の話

　3haの小土地所有者。全部トウモロコシを作っている。中農上層と思われる。

　灌漑▶用水路から1日1回水を汲んで、バケツに入れ肩に担いで畑に持っていって、播水する。

　4月15日に種を蒔く。セマナ・サンタの後に3ha蒔く。5月31日

までに雨が降らなかったら（メキシコは6月から雨季に入る）、トウモロコシの収穫はない。リスクの大きい 乾地農法 (ドライ・ファーミング) である。

川から水を汲んで、ロバに乗せて運んでいる子供

政府が金をくれるのは金持だけだ。肥料を政府から買うと200万＄だが、自分で買えば40万＄。特別の会社から買い、それを家畜の糞とまぜて施す。UREA＝肥料（注：UREAはスペイン語で尿素のことなので、UREAは多分、硫安のことだろう）。トウモロコシの茎は家畜のエサにする。牛8頭、雌馬1頭を飼う。

馬は、乗馬用で楽しみのためだ。牛は雄5頭、雌3頭、雌はミルクをとる。この村には牛乳の会社の集荷場がある。

子供は8人いる。

祖父、父が土地を売ったので、現在の土地は彼が買った。上の娘4人は会社で働いている。中学を卒業し、アカムクの会社に勤めている。男は小学生と中学生。

希望は子供の教育も大事だが、土地を買うことが一番の希望。

トウモロコシは全部政府が買い上げるが、非常に安い値段で、彼は政府には売らないという。政府買入価格は4,300＄/kg。

彼が売るのは4,500＄/kgで、貧乏人に少しずつ売る。トウモロコシの商人もいる。

用水路

この村を用水路が通っている。幅1.5mくらいで、水量もあり、立派なもの。

この用水路はレルマ川から引かれている。レルマ川は、最後はチャパラダムに入る。政府の水の省が管理しており、この用水路では、水番を1人選び、彼が水利費を集め政府に納める。1ha当たり5,000＄。彼は1.5万＄を支払っている。しかし、金が払えない者は利用できない。大部分の者は金を払えない。

この用水路は1月末から水が流れ、4月15日まで水が引ける。

この用水路は政府が5年前に作った。

貧乏人は、畑もなく、SANDEJEという野草（クローバーのような）を食べ、網でエビのような魚を採る。この時、網をもって下の川へ採りに行く数人のグループに会う。

トルティージャーだけを食べていることもある。

土地の貸借はある。町に働きに行く者もいる。

また、袋をかついで、はだしで歩いて行く一団があった。町に行って乞食か物売りをするようだ。

この村はマサワでなくメスティソの村ではないか？　人口は、50年前は650人いたが、今は不明。

幼稚園、小学校、中学校がある。教会あり。

アトラコムルコに帰り、レストランで昼食。6人で5.6万$、チップを含め6万$。ホテルに帰って休む。

夜、町の広場（教会のあるところ）に行く。夜はかなり寒い。

広場に夜店が少しあるだけで、人も多くない。

少し休んで、帰りに飲食店に寄り、ホットドッグのような食べ物を食べビールを飲む。ここは、白黒テレビである。

喫茶店はもう閉っている。

ホテルに帰り、シャワーに入って寝る。

1990年
4月8日
【日】

ホテルを出て、PLAZA（広場）で朝食をとる。日曜ごとに開かれる市場で、相当大きい。

　朝食をとる人もかなり多く、天幕を張った食堂は、数人〜10人くらいかけられるイスとテーブルがある。食堂をやっているのは中年女性が多く、それを若い女性が手伝っている。

私の食事はタコス、アトレ（トウモロコシ）に甘味をつけた飲み物ピロンシーヨ、ビール。6人の食事代は6万$くらいだったと思う。ビール、ジュースを含めてであるが、意外と高いと思った。

市場をまわって写真を撮る。食糧、果物、野菜、菓子などの食べ物から衣料、雑貨、家庭用品、カセット

PLAZA（広場）のマーケット

マーケット。インデヘナの女性が売っている

マーケットで売っているトルティージャー
（トウモロコシをつぶして、その粉を
練って焼いたインデヘナの主食）を
作る道具（石のすり鉢とすりこぎ）。
古代のものと変わらない

テープまである。市場に店を出すには料金を町に払わなければならない。市場の通路に座って、わずかな品を売っているインデヘナの女性や子供もいる。

彼女らは料金を払っていない。しかし、それを禁止することもしないようである。

マーケット。インデヘナの子供が
手織りの布を売っている

家庭用品の所に石の板と棒を売っている。トルティージャーを作る道具で、値段は7.2万$。一方、同じ店にハンドルのついたトウモロコシをつぶして粉にする、これもトルティージャーを作る道具があり、こちらは1.8万$という。どうしてかよくわからないが、これは壊れやすいからという説明であった。石の道具は、古代と同じ形をしている。

カセットテープ2本（インデヘナの民話と今流行の歌）を買う。割合高い（韓国より高い）。

サン・ペドロ・ポトラ村（SAN PEDRO POTLA）

　サン・ペドロ・ポトラ村に行く途中の道が修理中で通れず、引き返して他の道を行く。舗装されていないデコボコ道で、さいごのところは道ではなくなっている。車を降りて歩く。その時、後から来た車は中古の米国製の大型車であるが、数えると17人乗っていた。後のトランクを開けて5人くらい。そこからよい道に出て、すぐにサン・ベドロ・ポトラに着く。ここは、アントニオ・ロペスの生れた村である。

シモン・セグンドの話

　シモン・セグンド（36歳、妻はマリア・アウグスティーナ）は村でも貧しい方の農家という。家は一間しかなく、土間であり、家具も少なく、古く、汚れている。

　ちょうど牛2頭で犁耕と播種をしていた。シモンが犁を使い、犁についている円錐型（上に大きい、下に小さい口がある）播種機に、マリアが胸にかけている袋からトウモロコシを少しずつ入れていくのである。すると、犁で耕した湿気のある土の中にトウモロコシの種が入り、すぐ犁で土がかぶせられることになる。

上：サン・ペドロ・ポトラ村
シモンの使っている犁
下：犁の構造

シモン・セグンド（貧農）の家

シモン・セグンドの家族と
左からアントニオ・ロペス、
中村、シモンの妻マリア、
シモン、シモンの子供たち

上・下：家の内部

長床犁だが、床は木製、他は鉄製で細くつくってあり、軽く、操作しやすい。ARADO（犁）と言っていた。

これで幅25〜30m、長さ100mくらいの土地（0.3haくらい）を、午前7時から午後2時くらいで耕し、播種するという。

彼の父は、エヒーダタリオで2.5haの土地をもち、すべてトウモロコシを作っている。彼は長男で、父は60歳でまだ生きているが、この0.3haくらいの土地を分与してもらった。他の兄弟はまだ分与してもらっていない。2頭の牛、犁とも父の所有であり、それを借りて使っているのである。彼ら（父の家族）は、子供も靴をはいている。子供が3人いる。

　この土地だけでは生活してゆけないので、他の農場（この村にゆるい丘の斜面にあり、その丘の下にかなり広い耕地が広がっているが、彼が働きに行くのはこの中にある農場で、白い建物が見えた）に3カ月くらい働きに行く。1日1.2万$、午前8時～午後4時、残業することもあり、そうすると1日で1.5万$になる。

　播種して15日後にトウモロコシの芽が出る。5月から雨が降り、10月に収穫する。

　灌漑は全くしていない。今年は、乾季でも割合雨があり、土の中に水分が多い方なので播種できるが、全く水分がなければ播種できず、当然収穫もない。また5月末までに雨が降らなければ芽が出ても枯れてしまい、収穫は全くない。典型的な乾地農法である。

村の概況（アントニオ・ロペスの話）

　村は4地区に分かれていて、この地区は30戸、他は30戸、20戸、80戸以上で、人口は8,000人。

　村の住民はほとんどMAZAHUA（マサワ族）だが、村の男がメキシコシティに働きに行き、結婚して村に妻を連れて帰ることはある。

　エヒーダタリオで一番大きい土地をもつ者は6～7ha、作物はほとんどトウモロコシで、多少、麦、からす麦、牧草を作っている。

　トウモロコシは、3ha以下の農家では家族の食料になり、販売しない。

　政府にトウモロコシを売っても、政府はすぐに支払ってくれない。商人に売ったほうがよい。

10年前から作物を作らなくなり、荒地になった斜面の土地を通る。もともと条件の悪い土地であり、また所有者の手入れがよくなかったので、収穫が減り、放棄された。

　エヒードの土地は増えていない（したがって、耕地はむしろ減っていると思われる）。

　以前にメキシコシティに働きに行っていた若者が、経済事情の悪化で、村に戻ってくる者が多い。

　雨季の4カ月、畑を耕し、そのあとメキシコの他の都市に働きに行く者が増えている。

ジェロニモ・オノリオ（JERONIMO HONORIO）の話

　ジェロニモ・オノリオは53歳、奥さん51歳。

　彼はアントニオ・ロペスのお母さんの兄という（年がおかしいので、そうではなく母の弟ではないか）。

　子供12人、うち男7人。一番上は女で35歳、メキシコ市に住んでいる。

　子供のうち3人はメキシコの工場で働き、1人はパン屋、1人はメキシコ政府で働いている。1人は働いていない。

ジェロニモ・オノリオの家族と
後ろの子供はジェロニモの末の子供、
中央の太った男がジェロニモ、その左が妻、
右が中村、左端がドウェニアス、
右端がエルナンデスとその妻ファナイネス

　ジェロニモもメキシコ市で政府の仕事をしている。小学校3年まで行った。メキシコ市に出たのは20年前で、仕事は掃除。

　奥さんはこの村に住んでいる。

　金がなかったので、子供は全員中学までしかやれなかった。下の子供2人がいまも家にいる(12歳くらいの女の子と7〜5歳の男の子)が、この下の娘は小学校しか出ていない。今は家事を手伝っている。

　ジェロニモのメキシコ市での仕事は金曜日の午後2時に終わるので、それから家に帰って、金曜、土曜、日曜と働く。奥さんも働くが、人を雇うことも時々ある。あまりないが。

　土地はおじいさんからもらった。長男なので。他の兄弟は父からもらった。土地は3ha もつ(エヒード地)。2ha は天水畑、1ha だけ灌漑し、レルマ川から水を引いている(これは昨日行ったサン・ファン・ハロス村の用水路の下流にあたる)。用水費は1ha 当たり6,000 $、2ha は雨が降った年だけ作る。

　ここの用水路はかなり川下にあるので、水を引くのに時間がかかり、遅くなる。また、年によって水のない時もある。水のある時は1日引く(この1日とは丸1日のことか不明。1回という意味かもしれない)、灌漑は1回だけである。

　10年前にレルマ川沿いに工場(服やネジ)ができ、その排水で川の水がきたなくなった。動物にも、畑にも、悪い影響が出ている。

　5月までに雨が降らないと収穫はない。

プルケ（PULQUE）＝竜舌蘭（マゲイ）酒▶家の前に生えている葉の先が尖った竜舌蘭（マゲイ）から作る。作り方は、竜舌蘭の芯を絞って3日間おいておき、それにまた絞った汁を入れてできるという。プルケを飲ませてくれたが、アルコール度は相当低い。10度以下であり、たんぱくな味である。飲みやすい酒。

トウモロコシは商人に少し売る。1kg 4,000＄である。自家用は1トン。

家畜は雄牛2頭、ロバ2頭。

食事はトルティージャーのほかに、豚肉を少し、鶏肉を時々、米も時々、いんげん豆は沢山、ほかにオレンジ、バナナ、りんご。

サン・ペドロ・ポトラ村の小学校

村の概況（ロペスの話）

学校▶この村には小学校しかない。中学校はSAN FRANCISCO TEPIOLUL-COにある。小学校はみんな卒業するが、中学には行くほうが行かない者より多い。高校に行く者は少ない。1%くらい。

上・下：小学校の教室

　小学校が村にできたのは18年前であり、それ以前には、小学校もSAN FRANCISCO TEPIOLULCOにしかなかった。

　小学校を作るには、政府が建築等の材料を出し、村民が建てるのである。教師の給料は州政府が出す。

教会▶教会はあるが、神父はいない。これまではカトリックだったが、カトリックにはインデヘナの思想が入っている。この村では2年前からプロテスタントが強くなってきている。それをカトリック教会は心配している。エバンヘリコスというアメリカのプロテスタントの一派が、メキシコのインデヘナに布教しており、それがこの村にも入ってきているのだ。

　この両方の村を見るかぎり、小学校教育はインデヘナの中にも普及している。それは最近20年ぐらいと考えられる。中学まではかなりの子供が行くので、その影響は相当大きいのではないか。高校、大学に行く者はきわめて少ない。

　小学校も、建物、教室は日本よりは悪いが、それほど悪くはない。

　灌漑水路も最近できているし、他に見たアグアス周辺やアグアス―レオン間の村などにも溜池はかなりある。ただし、1戸当たりの用水量はまだ少ないようであり、メキシコの自然の中でどの程度灌漑の密度を高められるのだろうか。

　サン・ファン・ハロス村では、牛乳の集荷の倉庫があり、それは民間企業のようである。ラモル・ノロイも乳牛3頭を飼っていて、牛乳をここに売っている。

　インデヘナの村にも、かなり急速な経済の近代化が押し寄せているようである。

生活水準▶シモン・セグンドは貧農であり、家は自分で建てて

おり、1部屋しかない。家具もあまりなく、たしかに貧しい。しかし、一応はレンガ造りであり、つづけて増築しているところである。また、炊事は別の小屋でやっていて、これはジェロニモの家も同じ。その内部も基本的に同じである。カマドは、鍋をのせる石が2〜3個あるだけのもの。食器、炊事の鍋、釜等も同じである。中国北部の農家と同じ程度と見える。燃料はマキ。

　ジェロニモの家には、居間と2寝室があり、レンガ造りで、シモンの家の4〜5倍の広さがあり、棚や家具もある。

トルーカ（TOLUCA）

　この村を発って、トルーカへ。車を降りて、広い石畳の広場（ソカロ広場）に行く。正面に教会がある。

　ポルタレス（PORTALES）の中のレストランで食事。比較的高級なレストランで、ここは甘いお菓子が名物であり、いろいろな種類がある。

　ここでも雨に降られた。

　メキシコシティのホテルに帰ったのは夕方6時半。

サン・アンヘル・イン（San Angel Inn）でのパーティー

　ホテルに帰ってバスに入って、仕度をする。午後7時30分までにホテルに帰った場合、川田氏に連絡する約束。

　午後8時頃ホテルを出発。川田氏の運転で夫妻とサン・アンヘル・インへ。

　今夜は、メキシコで日本料理店を開いた石黒良治氏の開店1周年のお祝いのパーティーで、川田氏に誘われた。日本人社会

の中でいろいろなグループがあるらしい。参会者は石黒氏(奥さんは親の病気で日本に帰っている)とその娘2人、メキシコの画家(母が日系人)夫妻、川田夫妻、立花雅子さん(東京でメキシコの民芸店を開いており、以前メキシコに住んでいた。1年に2回各1カ月メキシコに買い付けに来る)と私。

サン・アンヘル・インは有名なレストランで、1692年に建てられた。

Hacienda de Los Goicochea

のち Adalid ファミリーがプルケ(サボテンで作る酒)を生産した(88,956エーカー)。また最初のスペイン大使の館にもなった。

彼の有名な妻は、Madame Calderón de la Barca

1847年にサンタ・アナ将軍がチャプルテペックの戦のプランをここでつくった。また、ここでパンチョ・ビリヤとサパタ将軍の間の有名な契約がつくられた。

1915〜1942年、有名なレストランになった。

このとき石黒氏から、11日の彼のレストラン OTOWA でのパーティーに招待された。午後7時に石黒氏がホテルに迎えに来る約束。

彼の上の娘は、大学入学のために日本に帰るとのこと。

11時過ぎにホテルに帰る。

午前8時30分、日産メヒカーナ森本氏がホテルに迎えに来る。ドウェニアスが同行。ケレタロのAPメヒコに行く。

APメヒコ（AP de MEXICO S. A. de C.V.）

自動車部品のマフラーの生産をしている。25年前に設立。当初マフラーを生産するアメリカの会社APの子会社であったが、1984年にAPがアメリカのARVINに買収されたので、現在はARVINの100％子会社である。

規模▶ 従業員360人、うち間接160人（間接とは信用従業員のこと）。資本金30億＄、売上40億＄（1989年）＝1,300万ドル。

製品▶ マフラー、キャタライザー。キャタライザーは製品開発もしている。マフラー生産はメキシコ最大で、シェア50％。2位はPEASA。アトラスはGMに納入。

販売先▶ 日産22％、フォード25％、クライスラー20％。残りがGMとV.W.。

製品はマニュアルにもとづいて作る。各納入先によって多少のちがいがあるが大体は同

上：APメヒコの工場
下：APメヒコの工場内部

じである。

　日産の価格はリーズナブルである。納期は各社とも同じ。

　生産ラインは2つ。1つは自動車用、もう1つは自動車修理部品用で、これは多くない。

　カルソニックと技術提携している。

　自動車メーカーとの技術協力は、こちらから提案してすることもある。

　従業員▶2直制。1直は午前6時30分〜午後3時(うち昼食30分)。2直は午後3時〜11時。

　間接雇用は午前8時〜午後5時30分。

　直接雇用(労働組合員で現場労働者)は4級制。

　賃金▶最低1.6万$〜最高3.6万$(日給)。

　大部分は中卒である。

　将来の計画▶メキシコでは、今秋から自動車の排気制限が実施され、次第に強化されてゆく見込なので、排気対策を重点にしている。新しい部品を導入。メキシコでははじめてだが、親会社のARVINがすでにアメリカでやっているので十分対応できる。

　製品販売先▶90%が国内。10%をメキシコV.W.をつうじて、アメリカV.W.に売っているが、これを直接輸出に切り換えること。輸出を増やして行きたい。

　工場の写真は、よいというところだけしか撮れない。

クラリオン (Electrónica Clarion S. A. de C.V.)

　コヨアカン (Coyoacan) Mexico D.F.

　カーラジオを生産

クラリオンの工場前で

上・中・下：クラリオンの工場内部

日系資本
社長佐藤氏
佐藤氏と工場長の案内

　売上げの15％が日産に納入。

　大嶋電機（富士重工の協力会社）の子会社である。

　厚木ユニシアの子会社厚木メヒカーナは、エンジンの水ポンプ、オイルポンプを生産し、日産に35％を納入している。東京エレクトロニクスにドアミラーを納入。

　1984年10月設立。

　以前、メキシコにはラジオメーカーは6〜7社あった。フィリップス、DEWD（スペイン）、セレクトラ等。

　85年末の輸入自由化で、現在は1社になった。

　他に日系シチズンが時計の文字盤、プラスチックの小部品を作っているのみ。

マキラドーラSAN JUAN DEL RIOに4社あり。

生産販売▶月国内2万台、輸出はアメリカ向け7,000台──米に販売会社をおく。

国内はGM、クライスラー、フォード、日産、V.W.。

輸出は89年2月から。

メキシコの車の25％はラジオをつけていない。政府の方針である。

89年7月、価格を2割下げた。

ラジオ部品メーカーは約200社。これはあとで出てくる自動車部品かもしれない。

生産▶国産化率65〜70％。パネルはアメリカから輸入。部品はほとんど日本から輸入する。メキシコ資本は値段、納期に問題がある。

メキシコ資本は個人企業が多いので、利益率を重視し、再投資に重きをおかない傾向がある。

従業員▶800人〜900人。現在、直接600人、間接150人で、増員中である。

労働組合は、CTM全員（つまり600人）、CTMの本部のボスと交渉して賃金等を決めるために、CTMケレタロの支部ではなく、本部所属になっている。ストはない。

ケレタロは全国でも最低賃金の低い所であるが、5級に分かれていて、最低は、最低賃金＋23％、最初の3カ月は見習であり、一方的に解雇できるが、実際には本人の都合でやめることが多い。

最低1年後に10〜12％アップする。

A　8,405/day　他にボーナス年間1.5カ月

B　9,000 + 13%

C　10,000 + 13%

D　11,000 + 13%

労働時間は9.5時間＝週47.5時間。

現場はほとんど女性労働者である。

機械設備▶MC、自動ベンダー──1993年設置予定。

現在は、生産量からいって、マニュアルでやった方がよい。生産量が増えればロボット化も考える。現在は半自動の段階である。

ABI自動挿入機▶1989年2月に1台導入、今月末1台導入予定。1日1,200個を挿入する能力がある。

組立ライン▶ラジオ4ライン、1日1,000台、月産2万～2.5万台。

労働者▶間接50人、現場400人。9時間労働、うち30分食事時間。

工場敷地▶2.8万㎡。

製品は毎日出荷。

技術開発▶技術者10人、うち日本人2人。デザイン、カセットメカニズムを担当している。

メキシコ日産森本氏の話

メキシコの自動車工業

部品メーカーに対する技術指導は、日本は部品メーカーが

行っている(これは部品生産技術を組立メーカーは持っていない、逆に部品メーカーがもっているから)。欧米メーカーは親企業が指導する。日産もメキシコ資本に対しては技術指導をしていない。

現地開発▶アメリカで開発会社をつくったばかりで、メキシコでは図面を日本から持ってきて、それを一部変更する。メキシコに合ったように変える。たとえば、メキシコでは坂が多いので、力が強いエンジン(回転数は少し落としても)にする。

日本本社、メキシコ側の両者で検討して決める。

部品メーカー▶メキシコに200〜300社。そのうち大手は従業員500〜600人、中位は100〜300人。

スパイサー6社、自動車部品3,000人、全部で20社1万人。

デスク(DSK)がメキシコ第1位で、アメリカのダナの資本が入っている。

メキシコ資本は82年不況以後、設備投資をしていないところが多いのが問題で、設備は古い。しかし力はある。

TQC等は一応知っているが、その程度は問題。

マフラー、キャタライザー▶現在はAPメヒコから買っているが、排ガス規制が行われるようになればPEASAに切り換える方針である。

キャタライザーは日本で開発する考えである。

トランスミッション▶TREMEC(メキシコ資本)から10%買っている。ダットサンの1tトラックのトランスミッションである。

メキシコ政府の政策により、国産部品中36%は部品メーカーから買わなければならない。

貿易規制の緩和により、完成車輸入が可能になり、その枠が自動車メーカーに与えられた。外貨余剰の範囲内で、完成車を輸入することができる。

　サニーの価格 ▶ 150〜200万円（V.W.は1,400＄なので、150万円とすると1ドル＝2,770＄＝157円として、約2,700万＄となり、V.W.の2倍近くなる。ccは大体同じ）。

　メキシコ人の副社長が今回はじめて生れた。

メキシコ日産　雨宮昭二社長の話

　年は60歳くらいではないか、白髪。経営哲学をもっている。彼はメキシコには長いようで、メキシコ重視派で本社と対立することが多いようであり、本社では久米社長が理解者だそうだ。しかし実力者で、メキシコ日産の社長ではじめて本社の取締役になった。

　午後6時30分〜8時30分、熱心に話をしてくれた。

　メキシコの将来性、現在の評価は高い。

　韓国企業はマーケティングがない。

　メキシコの自動車産業の成立は早い。

　日産は1961年に進出した。

　メキシコの方が韓国より輸入代替が進んでいる。

　現在、自由化政策に変わったが、自由化の速度が速すぎる。完成車輸入を関税20％から始めるという政府方針であるが、それでは国内生産が危ないのではないか。

　競争は開発力が最も大切である。

国内販売

日産の国内販売は11万台。ディラーは160店。海外のディラーは200〜250台/年が普通だが、日産は900台売る。

販売店契約は1年ごとで、成績が悪ければキャンセルする。年5%くらい入れ替える。販売店育成には宣伝がもっとも重要。

国際戦略

日本の自動車メーカーは国際市場ではビギナーであり、まだ世界各地を有機的に結合した経営にはなっていない。

投資の決定が、やむをえないという受け身の形で行われるケースが多い。

最近、多少、国際分業の拠点として投資が行えるようになってきた。

Big 3（アメリカの3大自動車メーカー：GM、フォード、クライスラー）、ドイツのV.W.では早くから国際分業が進んでおり、70年代からBig 3は新しいエンジンを開発し、その生産のための投資をメキシコで行っている。メキシコで生産した方が、アメリカでよりも安くつく。

アメリカではUAWなどの問題がある。

1989年に、Big 3はエンジン150万台をアメリカに輸出している。メキシコ国内での販売は50万台である。V.W.はヨーロッパに40万台を輸出している。完成車はアメリカに19万台輸出されている。Big 3の輸出額は、それぞれ年間15〜20億ドルである。

これに対して日産は中南米に完成車を輸出している（2.5万台）。36カ国中7カ国で首位になっているが、その競争相手は日本車

である。国際分業になっていないのだ。Big 3は販売額の95％が企業内分業であり、V.W.は80％であるが、日産はやっと89年にアメリカのテネシー工場との分業が25％になったところである。

　企業内国際分業の障碍として、日本の技術進歩が速すぎることがある。たとえば、アグアスのエンジン工場はもう古くなっている。たとえば、日本ではバルブ4つがはやっている。不必要な改良が多い。

メキシコ日産の開発力

　設計開発力を持っており、250人の技術者が応用設計をして、中南米向きの車をつくる。中南米向きとは、たとえばサスペンションの強い、高速で走るため、ブレーキが強い等。

　排気対策は、メキシコは標高2,000mを越えるので、たいへんである。最近、規制が10倍になった。石油の質が悪いのも一因である（石油精製は国家資本なので）。

　メキシコで生産する車は、中南米で競争力をもつ。自然的社会的条件が共通しているから。

　メキシコ日産の中南米輸出は2.5万台で、これはイギリス日産の輸出の2倍である。従業員はイギリス日産2,000人、メキシコ日産9,000人。

国産化率

　メキシコ日産では原価の70％前後である。アメリカ、イギリス、オーストラリアの基準で計れば80％以上である。

部品メーカー

購入しているのは約300社。そのうち上位30社から80％を買っている。その30社中、メキシコプロパーの企業は5社しかない。25社は外資系である。

日本の組立企業は内製率が低い。日本の部品メーカーは開発力をもっている。

日本自動車メーカーのアメリカ進出

円高、つまり1ドル＝100円になると予想してやったので、円安の現状からアメリカの日本自動車メーカーは、明年くらいに倒産や身売りが出るだろう。アメリカ資本との合弁はむつかしいので、やめた方がよい。

燃費は企業ごとに決めているが、アメリカではプロダクトミックスでやるのがよいと私は言っている。アメリは政府の強制による自主規制のために、日本は上級車に移っていったので、燃費は悪くなっている。

メキシコ日産の投資

鋳物工場を増設した。将来は日本への輸出を考えている。鋳物はきたない作業なので、先進国ではできなくなるのではないか。

クエルナバカ工場は近代化を図っており、たとえば塗装には最新の装置を導入した。サビ対策のために、ジャブづけを導入したのである。

ラインを長くし、スピードをあげている。今年の生産目標は14.2万台である。本年は8万台の能力ラインを改良によって増設

している。

労働者

　日本の労働者は、最近、働きが悪くなってきている。メキシコの労働者の方が質は上になった。

　賃金は月12万であるが、その他にボーナス、利益分配、現物支給、福祉厚生等でその6割になるので、最低賃金の20倍にもなり、日本と変わらない高賃金である（月19万円ということになり、年226万円だから、やはり日本の1/2〜1/3である）。

メキシコ政府

　政府は日本よりいい。日本では通産省の課長が大企業の社長を呼びつけるが、メキシコでは、次官、大臣でもすぐに会えるし、行政の裁量の余地が大きい。日本の企業の悪いところは、自己主張が弱いことであり、作られた枠の中でやることに慣れていて、枠作りに参加しようとしない。

　アグアス工場の組立工場の定礎式を明後日（4月11日）にやるが、工業大臣、州知事、部品工業会・販売店協会・全国販売店協会の代表等が出席する。

グローバル戦略

　現在、専用船が3隻あるが、その他に日本からアメリカ向けの日産の専用船3隻をまわしてもらう予定である。すでに、グアム、サイパンはメキシコ日産の車が7〜8割を占める。

　久米社長は決断が早いが、本社ではメキシコ日産への積極

投資に反対する者が多い。それもかつてメキシコ日産に居た者に反対する者が多い。彼らは、自分がメキシコで失敗した責任をメキシコに転嫁しているのだ。メキシコはアメリカ向けと中南米向けの生産基地にすべきである。メキシコは文化力が高いし、中南米へのメキシコの影響は大きいので、メキシコは生産基地として有望である。

　日産は、最近5年間に10億ドルをメキシコに投資することを決定した。

労働者

　スペイン語を話し、宗教はほとんどカトリックであつて、東南アジア、インドなどの多くの地域にくらべると　ずっと使いやすい。教育水準もかなり高い。

**1990年
4月10日
【火】**

午前10時30分、メキシコ観光会社で、4月6日のBJX / MEXICO の Flight の Ticket の払い戻し交渉。

　11時、岩島氏が来て、2人で13〜16日のユカタン半島への旅行の Flight、ホテルの予約をし、金を払う。

　私は12日夜、空港のホテルBLVD. AEROPUERTO に泊る。

　29.5万 $ = 120ドル(1ドル2,770 $ で106ドル)。ホテルFIESTA AMERICANA APTO。

　13日、メヒカーナ301便、午前7時40分発、メリダ着9時15分。

089

メリダのホリデーイン13日、14日の2泊。15.8万＄＝70ドル？（同じく57ドル）。

　住所　AV.COLON498 & PASEO MONTEJO,MERIDA

　Tel　99215-68-77

　メリダの英語の通じる旅行社

　ウシュマル・カバー見物

　5日、チチェンイッツァ。ホテルMISION泊。

　16日、カンクンへ。カンクン発メヒカーナ308便14時35分発。メキシコシティ16時40分着。

　FIESTA AMERICANA泊。

　17日、シカゴ経由ニューヨークへ。

　ニューヨークのホテルOmni Park Central Hotel。870.7th Ave., AT 56th st., N.Y.　Tel 212-247-8000。17〜19日泊。1泊21,500円。

　20日朝、Arm Truckでボストンへ。Pen. Station→South Sta.

　ボストン Holiday Inn. 5 Blossom, Boston.

　Tel 742-7630。22〜22日。

　23日、Boston Logan A.P.　AA4933便、午後2時55分発。

　ニューヨーク・ケネディ空港4時15分着。

　24日、ケネディ空港発8時00分、UA23便、サンフランシスコ着11時29分。

　サンフランシスコ発UA809便12時30分発、伊丹着25日15時45分。

　という予定であった。

　岩島氏とUAのOfficeでReconfirmをし、富士で昼食。できる

のに時間がかかり、岩島氏がいらつく。まことに日本的である。少しくらい遅れてもよいではないかと言うのだが。午後1時に市川社長がホテルに迎えに来る約束。

　1時過ぎに市川社長が来、パナソニックの会社、工場に行く。

パナソニック（Panasonic de México, S.A.de C.V.）

　メキシコの郊外Villa Coyoacan にある。ここに決めたのはメキシコから50km 以内の3級地（労働者の通勤可能、つまり安い労働力を使う）ということ、賃金が安いことなどから選んだ。現在、スラムがメキシコの市街からの途中に増えている。メキシコから43km。

会社の義務

　1.　過疎地に立地（メキシコから350km 以内のソナ＝3級地）。

　2.　輸出と外貨の獲得。

　工場をつくる時、道路はメキシコ政府がつくる約束だったが、途中で中断、会社が仮舗装したが、メキシコ政府はいまだに約束を守っていない。

　市川社長と各部門の責任者が出て来て説明をしてくれた。

　コンポーネント部ディレクター古屋よしたか氏、オーディオプラントディレクターくき原秀夫氏 、TVプラント

パナソニックメキシコ会社の工場内部

ディレクター平出(ひらいで)としお氏 。

概要

設立▶1978年9月。操業開始：1979年10月。

資本金▶58.5億＄＝600万ドル。松下本社100％出資。当初、信託であったが、1988年3月に解消した。

従業員▶570人(うち日本人出向者10名)。

取扱品

輸入品▶ラジカセ、Hi-Fiステレオ、高インチカラーTV、ビデオ、ビデオカメラ、TEL、FAX、タイプライター、カメラ。

生産品▶ラジカセ、ステレオ、カラーTV、部品(カセットメカ、プレイヤー、スピーカー、電解C.コイル)

生産拠点▶Ixtapaluca EDO, MEX。敷地5.8万㎡。工場床面積9,700㎡。

販売拠点▶メキシコD.F.と4支店(グアダラハラ、モンテレイ、ベラクルス、 プエブラ)。

サービス▶当社サービスベンチ6カ所。代行店23社。

部品現地調達率▶70％(金額)。

市川社長の話(古屋、くき原、平出3氏の話も含む)

基本方針▶現地主義。日本式とメキシコ式のミックス。

部品メーカー▶購入先150社に固定している。うち100％子会社5社。材料を渡して外注加工18社。

日系資本▶東芝、シチズン、TWD(メキシコとの合弁)、TDK、

オーディオテクニア他5社。

他の外資系▶5社以下、他はメキシコ資本。

ブラウン管▶RCA（米系）1社から購入。ブラウン管メーカーは他にTCE、トムソン（仏系）があり、輸入も可能である。

部品メーカー▶大きい企業は従業員300〜400人。30〜100人が普通。ほとんどが専業である（メキシコでは、多角経営が多いが、という質問に対して）。

1987年末まで部品輸入は禁止されていた。

重要仕入先▶50社。購入量が多いとか、そのメーカーしか作れないとかいう点で重要性をもつ。

これら50社に対しては日本的協力関係にあり、技術指導も行っている。この50社は固定しており、また同じ部品を2社から購入している（競争させる）。

部品メーカーを育成してゆく方針。

労働者、現場労働者

組合▶CTC（これは本来農民の組合であるが）。

組合員▶250人。

A〜Eの5級。3カ月は見習期間で、最低賃金1万＄である。他に60人くらい臨時雇用がある（仕事が多いため）。これはEの賃金である。

労働時間▶午前8時〜午後5時10分。うち昼休45分、午前、午後各5分の休み。

信用従業員▶320人（倉庫係・予備員・交代予備員25人、月給75万＄、（週ごとに支給）。

賃金 ▶	テクニコ	18人	95万$
	班長	15人	110万$
	職長	14人	145万$
	技術部門	10人	130万$〜最高230万$
	サービス	19人	
事務系 ▶	資材係	6人	130万$
	Office	74人	130万$
	係長	13人	225万$
	課長	20人	400万$
	次長	6人	430万$
	部長	5人	
	専門職	13人	150万$

メキシコ人の部長が今年4月1日にはじめて誕生。次長は5人がメキシコ人。

他に、食費補助として、会社の食堂は100$でしているが、実費の3.1%にすぎない。100$としたのは失敗で、率ですべきであった（食費1日3,225$。月20日としても6.5万$のとなるので、補助は6.3万$）。

通勤バスは無料。

貸付制度は給料の1カ月分まで。

ボーナスは年間45日分（12月支給）。

労働者配当（税引き前利益の10%、7月と12月支給）。

退職率は年に4〜5%。

販売店

販売店は730店。メキシコでは家具店でTV、ステレオ、ラジカセ等を売る場合が多い。これは大体小規模である。家具店が比較的高級化した場合である。

販売額は、デパート4％、家具混売店75％、電気専門店14.3％、その他6.9％。うち約40店がキイ・ディーラーで、それにその次のランクの60店を加えた100店が売上げの70％を占める。

報償金は出していない。取引は30〜15日の手形である。他の店とは現金取引。

小売価格は25％の利益をあげることを条件として設定させる。キイ・ディーラーには1年に2社か3社落とし、売上げ、情報提供の貢献、発展の見込みによって新たに加える。年率で売上げが20％以上伸びることが新規の条件である。

輸入自由化対策

1987年末に、完成品の部品が自由化された。

それまで数社が生産していたが、全部やめてしまった。潰れるか、TV、ステレオ、ラジカセ等の輸入業に転換し、パナソニック1社のみとなった。

対策としては商品を入れ替え、品質改善を図り、コストを下げた。努力によって輸入品に対抗できるようになった。

とくに販売戦略を重視し、輸入品にできないことをすることを目標とする。販売店には商品を継続的に供給し、修理、サービスに努める等。ステレオは100万＄のものをつくり、2年保証にする。

最初は韓国製などが非常に安く入って来て、爆発的に人気が出たが、結局、品質の点（故障が多い）、修理、サービスが悪いことがわかってきて、人気がさめた。

　現在、韓国製は、価格はパナソニックの70％（同一機種）くらいであるが、十分競争できる。

　現在のパナソニックのメキシコ市場占有率は、輸入品も含めて、オーディオ40％、テレビ15％、ビデオ22％、ラジカセ32％、ステレオ40％。

　現地生産のステレオはパナソニックが100％。

　テレビは、パナソニックのほかに、ソニー、日立、東芝、金星、三菱が現地生産しているが、すべてSK（セミ・ノックダウン）状態。

　取扱商品の輸入と生産の割合
　パナソニックの販売する商品のうち
　ラジカセは輸入50％、生産50％
　ステレオは輸入5％、生産95％
　テレビは輸入5％、生産95％

　ビデオ、テープレコーダー、カメラ、OA、ビデオカメラはすべて輸入品。

その他
　メキシコ政府の政策は、サリナス政権になってよくなった。

　日本商工会議所（市川社長は現在会頭）は、中小企業育成に重点をおいている。年率5％の伸び。

　Panasonicの設備投資は、メキシコ銀行から借り入れる。今後の経営戦略として、ローカル戦略（地方に販売を拡げる）と輸入に重点をおく。

　メキシコ政府の問題としては、政策がドラスチックに変わるのが問題である。

　工場現場で3人の責任者（デレクター）から話を聞く。

TV・ラジカセ部門

　生産品▶RX-1180、RX1381、RX-FM15、RX-5044。このうちRX-1180は現地設計で部品100％国産、うち内製5％。

　ステレオSG-K1020は現地設計で部品100％国産、うち内製15％。

　コイル・アンテナ（月13万個）は国産率25％。

　スピーカーは国産率95％、生産6万台/月、内製10％、外注60％、輸入部品30％。

　コンデンサーは130万台/月。

　プレイヤーは8,000台/月。昨年まで2万台をアメリカに輸出していたが、現在は輸出していない。

　テレビは2年前より14インチCT-1451Rを生産。89年11月より28インチCT-2851Rを生産。他に21インチCT-2125を生産。

　ステレオ▶SG-K4020 CDNは現地調達81％、うち内製12％。

　RU-3009は部品現地調達54.5％、輸入30.7％、内製14.8％。

　プレイヤー▶現地調達93.9％、輸入3.8％、内製2.3％。

オーディオ（担当くきな氏）部門

200人。間接25人──検査、生産管理、職長、班長。

自動挿入機▶横3・縦2、3交替制、自動挿入率65%

プレス、成型は自社で行う。板金の素材はモンテレーの鉄鋼会社から購入。

プレイヤー500台/日。不良率15%。最終検査の不良率0.7%。

部品（担当古屋氏）部門

コンデンサー、コイル、スピーカー

100人。出勤率98%で非常に高い。

コンデンサー▶日本と同じ組立機を1989年に導入した。

コーン紙▶材料はカナダから輸入。

部品メーカー▶150社、3000点購入。

テレビ部品▶日本、シンガポール、マレーシアから輸入。

ブラウン管▶メキシコRCAから購入。

輸入35%、現地調達65%（うち内製1.5%）

日産8,000台、ライン1本、職員90人

不良率7%、ブラウン管不良率8%

ホテルに帰ったのは午後8時過ぎ。ドウェニアスに漢字（このテキストは渡辺利夫氏の本のNISEに関する部分）を教える。明日テストがあるが、漢字はたしかにメキシコ人には非常にむつかしいようだ。ドウェニアスは日本科の学生の中でも日本語が一番よくできるそうである。

追記

4月12日、メキシコシティ─ロスアシゼルスのDELTAの中で、生産部門のディレクターのおひとりと一緒になる。3週間の本社へ出張。

その話

韓国製品のオーディオ、カセットデッキはパナソニックの6割くらいの価格で売っているが、これはパナソニックの生産原価くらいである。

パナソニックの生産原価中、原材料費は64〜65%、人件費は9%。自由化政策(87年12月)によって、輸入税は、完成品は20%に上げたが、部品は平均15%から13%になり、そのために大部分のメーカーは輸入販売に転換した。

対外輸出はマキラドーラでやっている。

朝8時、起きるとすぐ電話で下谷君から、母が亡くなったとの連絡であった。間もなく、粟飯原さん、小倉の万里ちゃんからも電話があり、できるだけ早く帰ると返事した。母は小倉の長姉妙の家に住んでおり、メキシコに行く直前に電話したが、元気だったので、帰ったら行くと話した。やはり渡航前に行くべきだったと後悔した。

> 私が帰るので、母の遺体を安置所に置いておいてくれ、
> 遺体と対面できた。母は遺体を献体すると遺言していた。

川田氏に電話して、午前11時にメキシコ三菱の事務所に行く。

すでにFlightの手配をしてくれていて、12日午前7時30分発、DELTA AL1741便、LosAngeles 9時45分着、Los 13時00分発。JAL 61便。13日、成田16時20分着、成田発18時55分、福岡着20時45分。

JAL385便の切符が買えた。全部で1,580ドル位。

ユカタン半島のマヤ遺跡の観光に行く予定でいたが、ホテル、Flightの予約をキャンセルし、そのあと、川田氏の好意で三菱商事の車を貸してくれ、ティオティワカンへ。午後1～3時の2時間見物し、ホテルに帰る。1日に太陽のピラミッドと月のピラミッドに登った人は初めてだとガイドに言われた。

日本（小倉万里ちゃん、小倉、伊万里、村上さん、下谷君）メキシコ（粟飯原氏、岩島氏）に電話する。またほかからも電話があり、忙しい。夜、OTOWAで夕食。

メキシコシティに近い
ティオティワカンの遺跡
太陽のピラミッド

メキシコ空港　搭乗のデルタ航空の旅客機

あとがき

　本書『メキシコ日記』は、メキシコ滞在中、夜、ホテルでその日に行った調査を大学ノートに書いたものです。

　調査で歩きまわり、その夜に書いたので、簡略化されている面もありますが、かえって生き生きとしている面もあると思います。

　私がよく知っている東アジア(中国、日本、韓国、朝鮮、台湾)とは、社会・政治・経済・文化のいずれの面でも違いが非常に大きく、本で読むだけでなく、現地を実地に調査にまわったことで、それが実感できました。

　西ヨーロッパもイギリスに1年、ドイツに10か月滞在し、その他の各国もだいたい歩きまわっていますが、メキシコは西ヨーロッパとも異質でした。

　その点で、メキシコ体験は私の歴史研究にとって大きな意義をもったといえます。

2023年10月20日　著者

【著者紹介】

中村 哲……なかむら・さとる

1931年生まれ
日本・東アジア経済史研究者
京都大学・福井県立大学名誉教授

メキシコ日記

発行
2023年12月5日　初版

著者
中村 哲

ブックデザイン
加藤昌子

発行者
桜井 香

発行所
株式会社 **桜井書店**
〒113-0033 東京都文京区本郷1丁目5-17 三洋ビル16

電話　(03)5803-7353
FAX　(03)5803-7356
URL　https://www.sakurai-shoten.com/

印刷＋製本
株式会社 **三陽社**

ISBN978-4-910969-01-5　Printed in Japan